CLUB DE PRIMOS

WARREN ALEXANDER

Traducido por
ROMINA PISCIONE

A mi madre y padre
A Andrea

ACKNOWLEDGMENTS

Me gustaría agradecer a mi amigo Cliff Conner muchas veces. Cliff es autor, profesor, historiador y guerrero contra la ciencia basura y falsa. Sus comentarios en el pasado fueron responsables de algunas de las mejores ideas del libro.

Me gustaría agradecer a mi difunto amigo Stuart Tower, autor, conferenciante, investigador, veterano y patriarca de una familia muy interesante. Su aliento ilimitado y sus látigos en el lomo de un burro fueron de gran ayuda. Además, me gustaría agradecer a Teresa Chan, George Fisher, Susan Biderman Montez, Alan Drucker, Mark Waters y Gina Araujo por su apoyo incondicional.

Pido disculpas a aquellos que fueron omitidos aunque ofrecieron ayuda y consuelo pero no fueron mencionados específicamente.

Pero sobre todo me gustaría agradecer a Andrea, mi esposa de los últimos dos mil años, quien también diseñó y pintó el arte de la portada.

1

ESCOGIENDO LOS HUESOS

Ningún extraño acechaba cerca de su ataúd o detrás de los setos. No hay cazadores de fortuna aparentes o mal engendrados. Las únicas personas a las que no se les pagó para asistir al funeral de Rose Hips fueron los miembros de la familia a los que mi abuela había engatusado o avergonzado para que asistieran. Ninguno de ellos sabía cómo ponerse en contacto con su única hija, Flora, desaparecida durante muchos años. El sepulturero podría haber sido su exmarido, un hombre que nadie había visto en décadas. Y ahora, cada uno medía qué tan sombrío debería actuar.

"Probablemente murió de una enfermedad sexual", dijo la prima Muriel.

"Tranquila. No quieres que el rabino te escuche. Podría ponerlo en su elogio ".

"Murió de un ataque al corazón, como se supone que debes hacerlo", dijo mi abuela Ida de su hermana.

Pero Rose Hips, conocida por pedir taxis con el dedo meñique metido en las comisuras de la boca, parecía demasiado vigorosa para haber muerto de un ataque cardíaco común. Su mismo apodo, Rose Hips, surgió de la forma en que bailaba. Se movía con tal abandono que sus caderas no parecían estar pegadas a su cuerpo. Si no hubiera estado usando ropa, habrían salido volando de su cuerpo y habrían recorrido la habitación. Esto era tremendamente diferente al adulto que, siendo una niña tímida y tan delgada, no parecía haber suficiente espacio para sus intestinos.

Más adelante en la vida, hubo indicios y rumores de que Rose Hips había estado involucrada con todo tipo de hombres, sombras que desaparecieron dejando solo historias sin referencias. Algunos sospechaban que bailaba el hoochie-coochie, como diría Fern, con cualquiera. Negros. Comunistas. Cualquiera. Rose Hips sabía que la gente hablaba de ella y pensaba que eso era aceptable.

Permanecía sin comunicación con su familia durante largos períodos de tiempo. Su rato más famoso y más largo sin ver a nadie, ni siquiera una carta, llegó entre guerras. Años más tarde, ella insinuó que había pasado ese tiempo en París y era confidente de Hemingway y Gertrude Stein. Pero ella no hablaba francés, no era una escritora o pintora real o aspirante a serlo, y no sabía nada de filosofía, ya fuera simple o pretenciosa. Algunos especularon que posó desnuda, aunque nadie había visto una pintura así. Siempre hay quien piensa lo peor. Pero la mayoría pensaba que había pasado esos años en algún lugar de Brooklyn y simplemente quería que la dejaran sola.

Afortunadamente, la familia había contratado a un rabino experimentado y simplista para que presidiera el funeral. Cuando nadie pudo ofrecer anécdotas amables o información que no requiriera confirmación, el rabino invocó todos los clichés que pudo reunir. Un verbo. Un pronombre. Un adjetivo. Historias Locas para los muertos.

Al concluir el servicio, el primo Yudel le susurró a su esposa Fern: "Vamos a saquear su apartamento ahora".

"Muestra algo de respeto. Deberíamos sentarnos en *shiva* primero".

"Falta una semana entera para eso, y me temo que alguien podría llegar antes que nosotros".

"¿Has visto a alguien?"

"No. Eso es lo que me preocupa".

Yudel se volvió hacia mi padre. "Tenemos que saquear el apartamento ahora".

"¿No deberíamos sentarnos en *shiva* primero?"

"Por supuesto. Luego. Pero primero tenemos que perder al rabino".

"OKAY. Pero no vamos a saquear el lugar. Solo mirar."

"Seguro."

"Gracias, rabino", dijo Fern. "Fue muy conmovedor. Llámame si necesitas una recomendación".

"Eso fue muy bueno. Deberías ser un rabino a tiempo completo. En algún lugar", dijo el primo Tummler.

"A partir de ahora, cuando piense en la muerte, rabino, pensaré en ti", dijo mi madre.

Mi abuela tenía la llave "por si acaso" para el apartamento de Rose Hips, lo que le permitió a la familia entrar de puntillas. Un baile macabro incómodo. Aunque todos habían visto a Rose Hips caer al suelo apenas unas horas antes, algunos temían que pudieran encontrarla muerta de nuevo o durmiendo una siesta en su sofá.

"Escucho voces", dijo Fern.

"¿Voces? No, no. Es la radio". Que seguía sonando suavemente, su gabinete de madera estaba tibio por estar encendido continuamente durante días.

"Este apartamento es bonito. Me pregunto si se controla la renta", dijo Muriel.

"Sabes, la gente lee los obituarios para saber cuándo hay apartamentos disponibles", dijo mi padre.

"Odiaría mudarme al apartamento de una persona muerta".

"¿Cómo sabes que no lo has hecho?"

El apartamento de Rose Hips no estaba mohoso ni perfecto. Nada estaba deshilachado ni viejo ni olía a anciana. Habían esperado que estuviera oscuro, con un leve indicio de lo que no fuera del mundo, pero las cortinas de las ventanas eran altas y blancas, lo que permitía que la luz del sol iluminara la habitación. Las paredes estaban adornadas con algunas impresiones de Maxfield Parrish y algunas fotos familiares, cada una perfectamente enmarcada y perfectamente cuadrada. Todo parecía un paso por encima de su situación.

"No hay fotos de Herb, el bastardo".

Todos afirmaban haber conocido al ex marido de Rose Hips, Herb, al menos una vez, en algún lugar, en algún momento, pero nadie recordaba las circunstancias, cómo se veía o incluso si llevaba los pantalones altos u holgados. Dependiendo de con quién chismorreabas, Herb era un borracho, un jugador, un mujeriego, un fraude o un fanático de los Yankees. Nadie podía siquiera recordar su apellido, lo que no era de extrañar después de un matrimonio que duró tan poco tiempo, segundos, al parecer. Y Rose Hips siempre usó su apellido de soltera, una elección rebelde para su época.

"Mira. Aquí tienes una foto de Flora. ¿Crees que se parece a Rose Hips?

"¿Qué edad tenía Rose Hips, tía Ida?"

"La tía Hilda lo sabría, si estuviera viva".

"¿Qué tal una suposición?"

"Ciento cuarenta y siete".

"Quizás encontremos algo con su fecha de nacimiento. Si no lo hacemos, simplemente inventaremos algo para la lápida. Nadie lo sabrá excepto nosotros ".

"Ni le importará."

Cuando mi abuela y sus hermanas llegaron a Estados Unidos, no tenían idea de cuándo habían nacido. No había registros. De hecho, los registros se usaban a menudo en su contra y debían evitarse. Las hermanas eligieron al azar los días festivos estadounidenses para los cumpleaños y los distribuyeron durante varios meses para que hubiera celebraciones durante todo el año. Mi abuela eligió el Día de la Raza, Hilda se instaló en el 4 de julio y Hattie eligió el Día del Árbol. Nadie sabía exactamente qué se conmemoraba el Día del Árbol, pero no había feriados nacionales en la primavera. Rose Hips eligió el cumpleaños de Lincoln porque celebraba el nacimiento de nuestro presidente más feo.

"Me pregunto si Rose Hips tenía un testamento".

"Entonces, ¿cuánto dinero crees que tenía?"

"Lo único que tuvo fue una enfermedad sexual de uno de esos marineros a los que entretuvo", dijo Muriel.

"Suficiente con las enfermedades sexuales".

No había suficientes asientos para todos en el diminuto apartamento de una anciana soltera liliputiense que vivió sola durante muchos años. Mi abuelo ciego, que todavía tenía un poco de barro pegado a los zapatos de la visita al cementerio y la cena, encontró un lugar en un pequeño sofá junto con la más pequeña de las mujeres. Se acomodaron cómodamente, con la cabeza apoyada en antimacasares amarillentos.

"Antes de que alguien busque algo, escúchenme", dijo Yudel. "Yo sé de estas cosas. La gente esconde cosas donde cree que otras personas no mirarán. Pero yo sé. Entonces, alguien busque joyas en el congelador. No se dejen engañar. Si el paquete dice pollo, podrían ser diamantes. El filete podría ser pulseras. También busquen en la parte inferior de los cajones sobres pegados allí que puedan tener dinero o bonos de ahorro. Y no olviden la parte trasera del cajón para ver si hay sobres pegados allí. ¿Todo el mundo lo entendió? Y recuerden, no saben lo que están buscando".

En realidad, nadie aceptó una tarea específica, pero todos, excepto mi abuelo, se dispersaron para registrar el apartamento. No había mapas del tesoro, pero eso no disminuyó sus esperanzas. Algunos golpeaban cajones y armarios, mientras que otros eran más suaves al abrirlos y cerrarlos, siempre respetuosos con los muertos.

"Mira lo que hay en este cajón", dijo mi abuela. Estaba lleno de cajas de cerillas de varios clubes nocturnos de Manhattan y Brooklyn. Eso no la sorprendió hasta que uno se abrió. Se leyó para sí las anotaciones escritas a mano en las cubiertas interiores. Ben Maksik's Town and Country-Pocket Vito 9. Luego otro. Cotton Club-Patrick 9. Y más. Elegante-VTH 10, El Morocco-Rocky Times Bastard 0 y Copacabana-Mickey 7. Mi abuela no estaba segura de lo que significaba todo eso, pero sabía que no era bueno. Algunos tenían números de teléfono.

"Solo cajas de cerillas", dijo mi abuela a nadie en particular mientras arrojaba varias en su bolso.

"Me siento como un *dibuk*", dijo mi madre.

"Un dibuk solo se adhiere a personas vivas para poseerlas, no a personas muertas. Buscan personas vivas que estén incompletas", dijo mi padre, tratando de tranquilizarla.

"¿Incompletas? ¿Qué demonios significa eso?" preguntó Yudel.

"Significa que tienen un agujero en el alma".

"¿Qué diablos es un agujero en tu alma?"

"Es como el agujero en tu *schmekel*, solo que más alto".

Mi padre quedó hipnotizado con la televisión de Rose Hips, como si fuera el centro de todas las cosas maravillosas y extrañas. La televisión era un mueble pesado y compacto con una pantalla bulbosa y diales del tamaño de pequeñas tartas de manzana. Se las arregló para apartarlo de la pared y gritó: "Estoy buscando dinero en la televisión, como dijiste".

Metió la cabeza en la parte de atrás, buscando una mayor comprensión, y encontró un esquema de papel tostado y crujiente, tostado por el calor de los toscos tubos de vacío. El diagrama mostraba la posición y el número de modelo de los diodos, pentodos y tetrodos, pero no su función. Aunque no conocía ni un solo programa en el aire, mi padre codiciaba el televisor.

Tummler vio todo esto y dijo: "Tienes que encenderlo". Lo que hizo, mientras la cabeza de mi padre todavía estaba dentro.

"Eso no fue muy inteligente. Podría haberme electrocutado o quedarme sordo".

El sonido de la televisión atrajo a todos.

"¿Cómo pudo costear un televisor?" preguntó mi madre.

"Así que eso es lo que significa la nota que encontré", dijo Fern, "Disfruta de la televisión. Con amor VTH".

"¿Quién diablos es VTH?"

"Sabía que no podía permitirse un televisor. Ella era solo una contable".

"Pero qué contable".

"Me pregunto para quién guardaba los libros".

Todos se alejaron de nuevo para completar la tarea que tenían entre manos: la codicia. El crescendo de portazos y cajones llenó de nuevo el apartamento. En su mayoría encontraron lo necesario: ropa cuidadosamente doblada, almohadas y mantas de repuesto y una o dos ollas usadas en exceso.

"¿Qué vamos a hacer con todo esto?"

"Lo dividiremos entre nosotros. ¿Quién más lo va a aceptar, Templo Beth de la *Basura*?

"Dios te va a matar porque dices esas cosas. Te va

a matar de un golpe, así que di esas cosas en el pasillo. Lejos de mí", dijo Muriel.

"Ella habría querido que sus cosas fueran a una organización judía".

"¿Cómo es que la gente siempre sabe lo que quieren los muertos, cuando no sabían lo que querían cuando estaban vivos?"

"Vaya, sé lo que quería cuando estaba viva", dijo Muriel.

"Será mejor que terminemos de limpiar el apartamento antes del día treinta para no tener que pagar un mes adicional de alquiler".

Al diablo con el propietario. Que desaloje a una mujer muerta ".

"¿Quizás podamos quedarnos con el apartamento y usarlo como casa de club?"

"¿Quién eres, Mickey Rooney?"

"Ella era contable. Debe tener dinero o cuentas bancarias en alguna parte", dijo Yudel. Sacó su navaja negra, la que tenía todo tipo de artilugios, incluido un destornillador pequeño, y comenzó a quitar la placa frontal de un interruptor eléctrico. "Ja", ladró. Había encontrado un fajo de billetes entre los viejos cables toscamente aislados.

"¿Cómo sabes eso?"

"Solo lo sé."

Mientras tanto, mi madre buscó en un armario y encontró tres cajas de metal. Mi padre la ayudó a bajarlas y luego llamó a los demás: "Vengan aquí".

"¿Es un buen 'vengan aquí' o un 'alguien más está muerto' vengan aquí?"

"Solo vengan aquí."

Todos se inclinaron sobre las tres cajas de metal, cada una de un tamaño y color diferente.

"¿Qué hay en ellas?"

"¿Cómo diablos voy a saberlo?

Con gran anticipación de secretos por revelar y tesoros incalculables, se dieron cuenta de que no tenían llaves. Las cerraduras parecían poder abrirse con una mirada furiosa. Todos miraron en silencio las cajas como si su poder concentrado las hiciera abrirse de un salto.

"¿Alguien ha probado esto?" Con eso, mi abuela simplemente abrió la parte superior de una. Estaba desbloqueada y explotada con décadas de recibos amarillos de giros postales para el alquiler, el gas, la electricidad y el teléfono.

"Inteligente", dijo Yudel, "sin cuenta corriente; no hay rastro para el recaudador de impuestos".

Pero la tapa de la caja más grande no se abría. Yudel la abrió con el lado de una hoja.

"¡Ten cuidado! No cortes nada".

Las cejas de todos se fruncieron en confusión, excepto las de Fern, cuyas cejas se arquearon al reconocer el contenido.

"¿Qué diablos son esas cosas?"

"Se ven como cosas de cocina".

"Algunas son simplemente de goma", dijo Tummler, levantando una hacia la luz para inspeccionarla. "Pero no esta".

A estas alturas todos las tocaban y les daban la vuelta con miradas burlonas.

"Este parece que podrías usarlo para destapar un desagüe. Aquí, déjame enchufarlo".

Fern, que había estado callada hasta ahora, gritó: "No".

"¿Por qué no?"

"Solo no lo hagas."

Entre los objetos se encontraban páginas amarillentas y andrajosas de los catálogos de Sears y Diarios de Costura Casera. Fern tomó una de las revistas y leyó en voz alta para que todos oyeran: "Todos los placeres de la juventud... palpitarán dentro de ti".

"¿Entonces que significa eso?" preguntó mi abuela.

"Aquí, de Sears", leyó Fern del *Libro de los deseos*. "'Una ayuda que toda *mujer* aprecia'", dijo, enfatizando la palabra *mujer*.

"Tal vez deberíamos dejar estas cosas".

"Ayudan a las mujeres a sentirse mejor", dijo Fern.

"¡Son para el sexo!" Dijo el marido de Fern, Yudel. "¿Cómo es que sabes sobre estas cosas sexuales?"

"Quizás debería comprarme uno", dijo una de las otras mujeres.

"Y son viejos. Mira las fechas en las revistas. Abril de 1926. Mira, ese tiene polvo."

"Gracias a Dios."

"Los ha tenido durante veinticinco años".

"Y los compró antes de la Depresión".

"La gente era más feliz entonces".

"Hay secretos y secretos", dijo mi madre. "Abramos la última caja y esperemos lo mejor".

"Ajá, esto es lo que hemos estado buscando". Todos agarraron algo. Había joyas, bonos de ahorro y dinero en efectivo, una parte estaba en pequeños sobres rojos que los chinos regalan en ocasiones alegres a los solteros con la esperanza de que no necesitarían los sobres rojos el año siguiente.

"¿Por qué no podía tener dinero en efectivo como la gente normal?"

"¡Mira! Aquí hay un sobre de Flora ", dijo mi madre," pero está vacío ".

"¿Qué dice el timbrado?"

"Los Alamos, Nuevo Mexico."

"¿No es ahí donde murió Davy Crockett?"

"Eso no es bueno", dijo mi padre. "Ahí es donde hicieron |esas pruebas de bombas atómicas".

"¿Quizás ella era una científica nuclear?"

"Hizo cosas con los dedos", dijo Tummler.

"¿Te refieres a coser?"

La familia había estado cautivada durante mucho tiempo por las diversas habilidades de Flora. Pero su verdadero talento era crear cojines con flecos y que daban picazón con inscripciones como "Las siete almohadas de la sabiduría", "Almohada de la fuerza" o simplemente la palabra "Hablar".

Antes de su inexplicable desaparición, estaba trabajando en almohadas de palabras intercambiables. Algunos miembros de la familia pensaron que, por muy talentosa que fuera, estaba pidiendo demasiado dinero por sus productos. Fern pensó que si Flora hubiera pedido menos dinero y se hubiera quedado en Brooklyn, estaría viva hoy. Ella partió para vender sus productos al mayor de los establecimientos minoristas estadounidenses, la tienda de regalos, y en ese viaje, desapareció en algún lugar de los Estados Unidos. Bueno, tal vez ella estaba viva. O tal vez estaba muerta. Siempre es difícil demostrar lo que no existe.

"Está bien", dijo mi abuela. "Terminemos".

"¿Qué vamos a hacer a continuación?"

"Me llevaré las cosas de goma a casa y me desharé de ellas", dijo Fern.

"Le llevaré las joyas a ese *gonif* de Cohen en Fulton Street y veré qué puedo conseguir", dijo mi abuela. "Nos reuniremos el martes por la noche en mi casa y veremos cuánto dinero tenemos. Y luego decidiremos qué hacer con él".

"Lo vamos a mantener, ¿verdad?"

"¿Qué vamos a hacer con la televisión?" preguntó mi padre.

"La compartiremos", dijo Yudel.

"¿El dinero o la televisión?"

"¿Y cómo vas a compartir un televisor?" preguntó mi padre.

"Puedes ver algunas estaciones. Puedo mirar las demás. Lo tomaré primero ", dijo Yudel.

Justo cuando estaban listos para irse, Muriel inclinó la cabeza y asintió. "Sabes, Flora era un genio".

"Sí, se necesita un genio para hacer lo que hizo", dijo Fern.

"Pero ella no será la única genio en la familia", dijo mi abuela con una mezcla furiosa de indignación, fanfarronería, envidia y la comprensión de que ella era la última hermana sobreviviente.

2

LA DISCUSIÓN

La vida de Rose Hips cubría la mesa de la cocina de mi abuela. La familia tiró en una pila toda la ropa que tenía como si tuvieran la intención de lavar la ropa más tarde. Separaron sus papeles en pequeños montones, aplicando su propia lógica individual. Los bonos de ahorro, que eran fácilmente identificables, tuvieron su propia pila. Examinaron un montículo verde de unos en busca de cinco y diez. Incluso encontraron un abrelatas.

"Tía Ida, ¿cuánto recibiste por las joyas?"

Mi abuela casi se rió. "Fui a Cohen en Fulton Street y obtuve cuatrocientos setenta y cuatro dólares", dijo mi abuela. "Luego fui al A&S de al lado para comprar uno de esos conos de helado cuadrados. Pero lo pagué yo misma ".

"Eso significa que debe valer dos mil dólares si ese

bandido Cohen te dio tanto", dijo Yudel.

"¿Terminaste de contar el dinero?"

"¿Qué es esto?" preguntó Unkle Traktor mientras sostenía un trozo de papel entre el pulgar y el índice como si estuviera tirando algo con mierda de perro.

"¡*Guttenyu!*" dijo Muriel, "Es la tarjeta de registro de votante republicano de Rose Hips".

"Republicano", siseó Unkle Traktor. Luego, con un húmedo y crudo sonido de escupir creado al fruncir los labios como un mero y mostrar la punta de la lengua, expulsó un fuerte *faaaaaa*, acompañado de un solo movimiento violento de cabeza.

"Es bueno que ya esté muerta. Porque si eres republicano, no creo que puedas ser enterrado en un cementerio judío".

Mi abuela había invitado a su otra hija, la tía Georgia, y a su esposo, Unkle Traktor.

"¡Vaya cosa! Entonces ella era republicana", dijo Yudel.

"Quién sabe cómo y dónde consiguió este dinero", dijo Unkle Traktor.

"No podemos aceptarlo. Es como utilizar la investigación médica de Josef Mengele."

"Usarías la investigación de Mengele si te curara de lo que tuvieras".

"¿Qué esperas de un trotsko?" Preguntó Muriel.

"Te lo he dicho un millón de veces, no soy trotsko, soy trotskista. Es la diferencia entre un socialité y un socialista ", dijo Unkle Traktor.

"Sko, ista, ite, ist. Todavía eres un sabelotodo comunista. Entonces, ¿en qué suma?" preguntó Muriel.

La tía Georgia y Unkle Traktor no eran tan parias como los demás estaban cansados del constante y estrecho prisma con el que los dos veían el mundo.

"¿No deberíamos haber pedido a las otras Roses que nos ayudaran con la decisión?" preguntó mi madre.

"No. Todas son un dolor de cabeza. No se merecen nada".

Había muchas Roses en la familia. De hecho, cuando mi abuela le dijo a mi abuelo que Rose había muerto, le preguntó cuál. Necesitábamos apodos para clasificarlas correctamente. Estaba la Rose de Joe, la Rose de Willie, Nose Rose, White Rose (se tiñó el bigote) y Albóndiga Rose. Albóndiga Rose preparó suficientes albóndigas para dar a cada invitado dos y ni un trozo de grasa más.

Muchas tenían dos apodos: uno para consumo público y otro para entretenimiento privado. Nose Rose, que había trabajado en conceptos en una tienda por departamentos, medía la cinta sujetándola contra la punta de la nariz y estirándola hasta la punta de su dedo más largo. También era conocida como Rose Bust. Su escote comenzaba justo debajo de su cuello y se podía ver incluso si usaba un cuello alto. Ella atraía a niños desprevenidos con un abrazo a esa arena movediza de carne conocida como su pecho, donde desaparecían rápidamente.

Albóndiga Rose también se conocía como Suppose Rose. Era tan tacaña que su nombre se convirtió en parte de un insulto. Supongamos que ella realmente te daba un regalo que querías. Supones que besa las *mezuzot* de otras personas antes de entrar en su apartamento para no desgastar el suyo.

La Rose de Willie se sintía muy ofendida cuando alguien llamaba a su loro Tía Rose. Ella lo tomaba como un desaire personal. Era difícil darse cuenta de su queja específica, ya que sus vestidos verdes y amarillos se parecían a un plumaje y sus dientes postizos castañeteaban como si estuviera partiendo nueces.

La Rose de Joe, que no era de fiar y era una *yenta* de primer orden, también era conocida como Tokyo Rose. El problema con personas como Tokyo Rose era que, aunque podían saber algunas cosas interesantes, insistían en contarte todo lo demás primero.

Pero ninguna de estas Rosas se sentaba entre ellos hoy, excepto la muerta.

"Entonces, ¿cuánto tenemos en total?"

"No lo sé. Todavía lo estamos sumando".

"Y nunca se sabe cómo calculan esos bonos", dijo mi padre. "Mira la forma en que están escritos. Ninguna de las letras se alinea. ¿Quién puede leer eso?"

"Entonces, ¿qué debemos hacer con el dinero?"

"Vamos a dividirlo".

"Debemos dar a quienes lo necesitan", dijo la tía Georgia.

"Si. A nosotros."

"Todos podríamos ir a los Catskills".

"Iré a Las Vegas y jugaré a los dados en casa de Bugsy Siegel. Conozco a alguien que conoce a alguien. Puedo duplicar mi dinero ", dijo Yudel.

"Creo que deberíamos hacer una fiesta".

"¿Qué somos los Donner?"

"No. Los Donner dieron una fiesta, pero nadie trajo comida. Por eso se comieron unos a otros ".

"Entonces, ¿cuándo comemos?"

"Ida, no alimentes a estos *schnorrers* hasta que decidamos qué hacer con el dinero", dijo mi abuelo. "Y tampoco bebidas, hasta que alguien diga algo inteligente".

"Podríamos morir de sed".

"Por una vez en la vida, alguien diga algo inteligente", dijo mi abuelo. "No hay comida hasta entonces. Maldita sea."

Nadie podía recordar a mi abuelo ejerciendo tanta autoridad, maldiciendo o incluso mostrando ese nivel de ira o urgencia. Su sentido de la mortalidad debe haberse filtrado.

"Tengo un invento. Con el dinero, puedo obtener una patente y ponerla en producción", dijo mi padre.

"Otro invento brillante de Edison aquí. ¿Qué es esta vez? ¿Una bombilla que solo funciona durante el día?" dijo Muriel.

"Podemos abrir una franquicia, como Howard Johnson", dijo Tummler.

"Demasiado *goyisha*."

"Me gusta la idea de una franquicia", dijo Unkle Traktor. "Es una palabra cuyo origen significa libertad".

"Arthur Murray Dance Studios es una franquicia".

"Aún más goyisha".

"La haremos judía. Enseñaremos el cha-cha ".

"Esto tiene que terminar".

"¿Qué tiene que terminar?"

"Ninguno de ustedes ha hecho nada nunca".

"¿De qué estás hablando?"

"Justo lo que dije. Ninguno de ustedes ha hecho nada jamás ".

"Tenemos que haber hecho algo, en algún momento", dijo mi padre.

"Ninguno de ustedes ha hecho nada nunca. Nunca. *Gornisht. Gornisht helfin* ".

"Tienen que ser la familia judía más estúpida de Estados Unidos". Culpar a los demás era la idea de introspección de mi abuela.

"Eso no puede ser cierto. Debe haber alguien más estúpido que nosotros", dijo Yudel.

"Entonces encuéntralos", dijo mi abuela.

"No somos estúpidos. Estamos decidiendo nuestro futuro. Entonces, ¿podemos comer ahora?"

No es que la familia fuera estúpida. Era que simplemente no eran muy inteligentes. Tiraban de la puerta principal cuando había que empujarla. Intentaban entrar por la puerta lateral cuando no había ninguna. E intentaban escapar por la puerta trasera, pero no estaban seguros de por qué estaban corriendo.

"Pero todo esto va a cambiar", dijo mi abuela. "¿Recuerdas el otro día que dije algo sobre un genio?"

"Si. ¿Entonces?"

"Bueno, hoy fui a la biblioteca. Y la *Gematria* está de acuerdo conmigo ". Mi abuela se mantuvo erguida y con una certeza gris en sus ojos, agregó: "El próximo niño que nazca en esta familia será un genio".

"¿Desde cuándo conoces la *Gematria*?"

"¿Qué tontería es esa, el próximo niño será un genio?"

"Siempre conocí la *Gematria*", dijo mi abuela. "Pero esta vez, sumé todas las fechas de nuestros cumpleaños y nuestras edades, y la *Gematria* dice que el próximo bebé que nazca en esta familia será un genio".

La revelación de la *Gematria* y la dura evaluación de mi abuela sobre la capacidad intelectual de la familia fueron recibidas con cejas fruncidas y bocas torcidas. Hasta este momento, nadie sabía que mi abuela tenía ese talento y conocimiento latente, y mucho menos que podía articularlo.

"Por cierto, ¿qué diablos es la *Gematria*?" preguntó alguien por todos.

"¿No sabes qué es la *Gematria*?"

"Es un sistema hebreo de cálculo por números arraigado en el misticismo. El apogeo de su popularidad se produjo en España entre los siglos XI y XIII", dijo mi padre. "Le da significado a números aleatorios. Pero siempre pensé que era muy inexacto ".

"Eso podría ser cierto", dijo Yudel. "¿Sabes cómo damos regalos en incrementos de dieciocho por chai? Chai es la decimoctava letra del alfabeto hebreo y significa vida ".

Bueno, esa es la *Gematria* también. ¿Cierto?" Dijo Tummler.

"¿Y cuál es la cantidad total de dinero que tenemos de nuevo?" preguntó mi abuela.

"¿Ya tenemos una cifra final?"

"Cuatrocientos setenta y cuatro en joyas, trescientos sesenta y tres en dinero en efectivo y ciento noventa y cinco en bonos".

"¿Cuánto suma?"

"Mil treinta y cuatro", dijo mi padre sin el uso de lápiz y papel.

"Presume."

"Y ese número, según la *Gematria*, significa que todos seremos ricos algún día", dijo mi abuela.

"Tía Ida, una pregunta", preguntó Fern. "¿De qué diablos estás hablando? Un día, somos estúpidos. Entonces *puf*, al día siguiente somos ricos ".

"Es complicado", explicó mi abuela. "Cada número significa algo diferente, pero cuando los sumas, significa que seremos ricos. Y el próximo en nacer será el genio que nos hará ricos ".

"Esa *Gematria* tiene una respuesta para todo", dijo Muriel.

"Eso es una locura", dijo Unkle Traktor. "No puedes inventar cosas y esperar que lo creamos".

"Está bien, Sr. Bocotas. Díganos por qué no es cierto".

"Simplemente no puedes creer la palabrería mística. ¿Cómo se refuta la palabrería?"

"No lo sé. Hemos estado intentando hacerte eso durante años".

Mi abuela no podría haber pedido un comentario mejor, porque fuera lo que fuera que Unkle Traktor estuviera a favor, la familia estaba en contra, y lo que fuera que Unkle Traktor estaba en contra... Y él estaba en contra de todo.

"Estoy embarazada", dijo mi madre con la desgana de una confesión.

"No estabas embarazada ayer", dijo Fern.

"Estoy embarazada", repitió mi madre.

"¿Qué, te acostaste justo después del funeral?"

"Estoy embarazada de casi tres meses".

"Alguna coincidencia. La tía Ida dice que el próximo bebé será un genio, y el próximo bebé será su primer nieto".

"Lo sabías, tía Ida."

"Confiábamos en ti, tía Ida".

Mi abuela tuvo que restaurar la fe en ella y en su predicción y sofocar el levantamiento. "Pero", agregó mi abuela, "dado que mi hija y Danny no son lo suficientemente inteligentes como para criar a un genio por sí mismos, pasaremos al bebé de casa en casa".

"¿Qué?" dijo mi padre.

"Todos, todos participaremos en la crianza de este genio, y le enseñaremos todo lo que sabemos".

Mi abuela continuó: "Todos los años, pasaremos al niño a la siguiente familia para que puedan enseñarle lo que saben. Y así sucesivamente y así sucesivamente. De esa manera sabemos que será un genio".

Mi madre se puso a llorar. "¿De qué están hablando? ¿Cómo pueden llevarse a mi bebé?" No estoy seguro de por qué lloraba mi madre cuando aún no me había conocido.

"No es tu bebé, es el bebé de todos. Es un genio y estás siendo egoísta. Será bueno para el niño. Y debes ayudar a toda la familia".

"No puedes hacer eso", dijo mi padre.

Este fue un cambio total con respecto a unos días antes, cuando mi madre le dijo a mi abuela que estaba embarazada. Mis padres la invitaron a ella y a mi abuelo al apartamento para contarles las buenas noticias. Pero al enterarse de que mi madre estaba embarazada, mi abuela gritó que iba a tener una deficiencia mental.

Mi abuela creía que cuando los enchufes eléctricos no estaban en uso, la energía rezumaba por el suelo y creaba enormes charcos de peligro invisible que podían devorar tu cerebro o, en el caso de mis padres, sus órganos sexuales. El remedio eran esos tapones de plástico con puntas que se presionan en el enchufe de la pared para evitar que los niños se peguen los dedos o algo como un destornillador. Aunque mi abuela había estado en Estados Unidos durante más de cincuenta años, no se puede sacar a la niña del *shtetl* sombrío y fangoso. Pero ahora las circunstancias eran diferentes.

"No quiero criar al hijo de otra persona, incluso si es un genio", dijo Fern.

"Esa es una idea loca", dijo Tummler.

"No puedes hacer esto", dijo mi madre.

"Están siendo egoístas", dijo mi abuela, "Da la casualidad de que Dot es la próxima que está embarazada. Si Fern, Muriel o Dios no lo quiera, mi otra hija estuviera embarazada, ese bebé sería el genio. Nadie es lo suficientemente inteligente como para criar a un genio por sí mismo. Mírense a todos ustedes. Traktor, sabe cosas que a nadie más le importan. Tummler saliendo con otros comediantes que tampoco son divertidos. Yudel con sus amigos gángsters. O mi yerno con sus inventos *fakakta*".

Mi abuela simplemente quería cambiar el destino de la familia, y era obvio que los presentes no podían hacerlo solos. Y si sus intentos de cambiar esto resultan equivocados, lo mejor que podían hacer es maldecir su memoria.

"¿Entonces todos vamos a tener el bebé?" Preguntó Yudel.

"Eso no tiene ningún sentido".

"¿Qué les vamos a decir a los vecinos?" preguntó Muriel.

"La conformidad es una forma de miedo", dijo Unkle Traktor.

"¿Qué tiene eso que ver con lo que piensan los vecinos?" preguntó Muriel.

"Usaremos este dinero para ayudar a sufragar algunos gastos. Lo llamaremos El fondo del genio y yo me ocuparé de él ", dijo mi abuela.

"Pero City College es gratis".

"Puede que salga de la ciudad. Tienes que pagar si él sale de la ciudad".

"¿Cómo sabemos que es un él?"

"Nunca se sabe qué tipo de gastos tienes antes de que él llegue a la universidad".

"Entonces lo llamaremos Fondo del Genio Republicano", dijo Unkle Traktor.

"No, lo llamaremos Fondo Consolador del Genio Republicano", dijo Yudel, lanzando una mirada furiosa hacia Fern.

"Te lo dije, los tiré", dijo Fern.

"No importa", dijo Yudel.

"¿Cómo sabremos si el bebé es un genio?"

"Cabello", dijo Muriel. "Si tiene el pelo como Einstein, entonces sabes que es un genio".

"Pero todos los bebés tienen pelo como Einstein".

"Está bien, pero ¿y si nace con bigote?"

"¿Quieres decir como White Rose?"

Y así fue como se decidió mi futuro.

3

PRIMEROS RECUERDOS

Por lo tanto, nací momentos después de que el siglo XX se partiera por la mitad. Al menos numéricamente. Ya había aceptado con entusiasmo el desafío de mi abuela de ser un genio mientras estaba en el útero. Si fallaba en ser un genio, simplemente sería otro fracaso familiar, sino uno espectacular. Pero si tenía éxito, ofrecería esperanza después de siglos de mala suerte y peor fortuna.

Antes de la abrupta y aleatoria profecía, el embarazo de mi madre transcurría tan tranquilo y clínico como los monótonos cuadros de gestación que se mostraban en las clases de higiene de la escuela secundaria. Pero la predicción convirtió su teléfono en una fuente constante de preguntas obvias y repetitivas. La respuesta de mi madre era irracionalmente tranquila y contenida. Todos preguntaban con un trasfondo de ansiedad, confusión sobre su futuro papel y codicia. Algunos hacían gestos vacíos.

"¿Cómo está nuestro pequeño genio hoy?"

"¿Qué dijo el doctor? ¿Hay algo que pueda hacer por ti?

Muriel siempre agregaba: "Sabes, no es el primer genio de la familia". Por supuesto, mi madre entendió que el insulto implícito de Muriel se refería a la prima segunda o tercera Flora.

Cuando mis padres me llevaron a casa desde el hospital, la familia decidió sabiamente que no querían explicar a los médicos y al personal lo que estaba a punto de suceder. Sin embargo, en el *bris*, todos se sorprendieron por lo afables y agradables, incluso resignados al acuerdo, que se habían vuelto mis padres. Su transformación fue repentina y tuvo muchas explicaciones posibles. Tal vez fue la carga del cuidado y la atención constantes de cuidar a un bebé. Tal vez no querían discutir continuamente con la familia y mi abuela, aunque discutir por nada le daba a la familia un propósito común. Discutir sobre algo que en realidad tenía consecuencias era un territorio casi virgen. O tal vez mis padres temían la responsabilidad de criar a un genio únicamente por ellos mismos.

El *mohel* fue un cómplice desprevenido que sin querer perfeccionó el trato. Mis padres me entregaron a él. Realizó el corte ceremonial centenario. Luego me devolvió a mi abuela para consolarme, haciéndolo parecer oficial.

Los hombres siempre, literal o emocionalmente, se agarran de la entrepierna en el momento más sangriento de un bris. Todos se sorprendieron de que no lloré ni grité durante todo el rito. Más tarde me dijeron que solo miré al mohel a los ojos con una expresión determinada como si dijera: "¿Harás esto rápido?"

"Es el bebé más valiente que he visto en mi vida o el más estúpido", fue el sentimiento general de todos los reunidos. Pero una vez que terminó el mohel, los asistentes asaltaron la pared de bizcocho y vaciaron el foso de refrescos calientes y vino dulce barato.

No es que mi abuela fuera la más conocedora de la crianza de los hijos, pero sabía las cosas desde hacía más tiempo, incluso si había que desempolvar y pulir sus habilidades. Sin embargo, quedarse con ella parecía la elección inicial más natural y menos ofensiva.

El apartamento de mis abuelos era perfecto para un niño por otra razón inusual. Mi abuelo era ciego y todo el apartamento era suave y lento. Las sillas estaban fuertemente acolchadas, las mesas redondas sin esquinas. No había alfombrillas para deslizarse, solo alfombrado, y las sillas de madera del piso eran lisas y bajas. No había vitrinas ni *tchotchkes* en las mesas para derribar porque mi abuelo usaba sus manos como antenas, ligeramente extendidas de su cuerpo, sintiendo, estirándose por lo que había ayer. Incluso le gustaba la comida blanda, como el cereal saturado de leche, el pescado frío y el interior del pan.

Se había quedado totalmente ciego en una operación fallida en una época en la que era una afrenta demandar a un médico por mala praxis. El médico, sin embargo, les dio dinero a mis abuelos a cambio de la única promesa de que olvidarían su nombre. Usaron el dinero para comprar una casa, comúnmente llamado "contribuyente". Los dos primeros pisos se podían alquilar legalmente, mientras que el del sótano se pagaba estrictamente en efectivo.

Mi abuelo se parecía a Stan Laurel, usaba un bigote de Oliver Hardy, pero nunca hizo una doble toma, y mucho menos una triple toma. Leía braille de la misma manera que un estudiante de primer año habla francés, con vacilación, mientras sus dedos tocaban los puntos en relieve. El término en braille donde no hay puntos en la configuración de caracteres es una "celda vacía".

La ceguera de mi abuelo realmente no le molestaba. Reafirmó su visión del mundo como un túnel oscuro y estrecho con pocas salidas. Sin embargo, afectó sus ideas sobre la crianza de los hijos. Había olvidado todas las lecciones de ser padre y me decía cosas como: "Deja de actuar como un bebé".

Me enseñó el valor de la inercia. La lección fue más un ejemplo que una aplicación formal de la física. Se aferraba inmóvil a una esquina del sofá, el suelo soportaba el peso de sus pies, un brazo colgaba del brazo del sofá y el otro yacía inerte a su lado mientras su cabeza creaba una mancha de grasa en la pared que se oscurecía todos los años. "Está bien no hacer nada, siempre que no sea lo único que hagas", decía a menudo. De vez en cuando cantaba una canción que solo él conocía.

No estoy seguro de cómo se conocieron mis abuelos ni cuál fue la atracción. Nunca pregunté y ahora solo podía especular. Podrían haberse encontrado en tercera clase de camino a América. Pero mi abuelo nació aquí. Podrían haberse conocido en la escuela secundaria. Pero mi abuelo nunca asistió a la escuela secundaria. Pudo haber sido que mi abuela fuera fácil de detectar.

En un momento en que tres abuelas necesitaban pararse sobre los hombros de la otra para lavar los platos, mi abuela medía un metro setenta y cinco. Estaba orgullosa y cohibida a la vez de su altura y llamaba a sus amigos del mah-jongg los pigmeos de la isla de Ellis.

Aún así, le preocupaba que su altura creara un ángulo que obstaculizara su estilo de cocina. Decía que su altura era como evitar que una paloma se abalanzara sobre un ratón desde lo alto del cielo. Por esas razones, cortó parte de los mangos de sus cucharas de madera. Dobló las espátulas de metal que usaba para voltear sus *latkes* porque afirmaba que le daban una mejor palanca. No importa. Ella creía que la ayudaba a alimentarnos y que las palomas se abalanzaban. A medida que envejecía, se encogía, como la mayoría, y se medía contra la pared con marcas, como los padres que narran el crecimiento de un niño, pero al revés. A medida que las líneas de lápiz bajaban cada vez más, se sentía más cómoda con la gente.

Mis abuelos paternos fueron extraviados en algún lugar del largo tramo de cementerios en la frontera entre Brooklyn y Queens. Un área que alguna vez fue interminable con granjas ahora estaba llena de coches fúnebres y lápidas. Aunque hay muchos cementerios judíos, podrían haber sido enterrados en un cementerio sin denominación. Mi padre no estaba seguro. Él, que sabía dónde estaban enterrados Houdini y Bernard Baruch, nunca pudo encontrar sus llaves ni a sus padres.

Estaba envuelto en supersticiones judías. No tuve un nombre verdadero hasta después de nacer. Una superstición centenaria revivió especialmente para mi nacimiento. Como dice la ignorancia, a un bebé nonato se le daba un nombre falso hasta el bris, para que el Ángel de la Muerte no conociera su verdadera identidad y lo matara. Aparentemente, el Ángel de la Muerte solo estaba interesado en matar bebés varones.

Por lo tanto, se me otorgó el nombre de Nabucodonosor, más precisamente Nabucodonosor II. Según la Biblia, mi tocayo conquistó Jerusalén y obligó a los judíos al exilio. Destruyó el Primer Templo pero, en un momento de equilibrio etéreo, creó los Jardines Colgantes de Babilonia. ¿Qué mejor manera de engañar al ángel de la muerte que ser nombrado por alguien que los judíos odiaban y que odiaba a los judíos? Esta treta arcana debe haber sido concebida por mi padre o la tía Ester, porque nadie más en la familia conocía estos detalles, y mucho menos cómo se pronunciaba Nabucodonosor.

Todo esto para ser más astuto que algo que ni siquiera existía. Y si existiera, ¿por qué el Ángel de la Muerte no podía matarme después del bris? ¿Y por qué no había descubierto la estratagema después de cientos de años?

Otra superstición llevó a mi desfiguración. Esta prohíbe la compra de muebles o regalos hasta que nazca un bebé. Una vez más, era para engañar al Ángel de la Muerte ocultando la buena fortuna de uno antes del nacimiento. A diferencia de la diversión de nombrar a los bebés, esta tradición todavía se practica.

Dormí en un cajón durante las primeras semanas de mi existencia hasta que se pudo comprar una cuna adecuada y, lo que es más importante, montarla. Para mi abuelo ciego, este cajón abierto era similar a reorganizar los muebles, y una noche cerró el cajón de golpe, rompiendo la falange distal de mi *digitus medius manus* o la parte superior de mi dedo de fuck you. A partir de entonces, la punta de mi dedo meñique hizo un giro permanente a la izquierda, una característica única de la que sigo orgulloso.

Cuando me hice mayor y le di a la gente el dedo, ya sea intencionalmente o no, la mayoría no sabía a quién estaba señalando. Esto invariablemente conducía a peleas, más por confusión que por animosidad. Y el comienzo de una pelea proporciona un foro pobre para explicar una tradición judía que salió mal. Mi único problema real con mi dedo mal dirigido era encontrar guantes de invierno, béisbol y hockey. Como no podía meter los dedos en mi guante de hockey, tomé prestado un truco y corté la palma. Metía la mano por el agujero y podía hacer todo tipo de cosas sin que el árbitro las detectara, como sujetar o golpear a los otros jugadores. La gente solía decir que mi dedo era un tema de conversación, pero yo no creo en los temas de conversación. O tienes algo que decir o no. Y si no tienes algo que decir, ¿por qué querrías decirlo con el dedo?

Incluso con un contexto histórico o religioso, la mayoría de las supersticiones no tienen sentido. Por ejemplo, la superstición de que nunca debes coser ropa cuando alguien la lleva puesta. Y si lo haces, asegúrate de masticar hilo. Se pensaba que los puntos cerrarían tu cerebro y no dejarían salir el sentido común. Una de las supersticiones más irónicas, y hace que uno se pregunte si los judíos son el pueblo de Einstein, Salk y Oppenheimer.

Mi abuela me leía, no de los libros para niños estándar, sino de cartas y respuestas en la popular columna llamada *Bintel Brief* (yiddish para paquete de cartas) que se encuentra en el influyente periódico Forward (los *Forverts*). La columna comenzó a principios del siglo XX cuando inmigrantes judíos pobres y solitarios le escribían pidiendo consejo. Las preguntas podían ser sobre asuntos del corazón, aunque la mayoría se referían a cómo ser un buen socialista y librepensador o cómo manejar los complicados problemas diarios. Pero incluso mientras la fortuna de los judíos crecía y muchos se asimilaban, la necesidad de consejo continuó.

Algunos días mi abuela leía recortes amarillentos que había guardado durante años, mientras que otras veces leía directamente de la edición de ese día. Cuando leía las preguntas sobre el amor, a menudo puntuaba sus oraciones con suspiros y arqueaba las cejas como si estuvieran levitando. Qué inteligente fue mi abuela al leerlas mientras aprendía yiddish y las complicaciones de la vida adulta.

Sin embargo, ninguno de estos fue mi primer recuerdo. Mi primer recuerdo vívido ocurrió una noche, cuando vi dos siluetas de tinta en el apartamento a oscuras. Una era, sin lugar a dudas, mi alta abuela, pero el otro no era mi abuelo. Caminaba con confianza, no con los pasos vacilantes de un ciego. Caminaba riendo y mi abuela le devolvía la risa. Todo lo que podía ver en la sombra era el contorno del copete más grande del mundo. La gigantesca protuberancia hizo su llegada como el venerado adorno de cuerno de un Packard de 1948 mientras su engrasado montículo brillaba a la luz de la vela *yahrzeit* que parpadeaba en recuerdo de los antepasados muertos.

Fueron a una habitación pequeña, escasamente amueblada, con las mesas más pequeñas, las lámparas más tenues y un sofá. Entonces la casa se llenó de los sonidos de agradecimiento reservados para los esfuerzos de los demás. Afortunadamente o desafortunadamente, mi abuelo no reconoció estos sonidos indecorosos por lo que eran, ya que crecieron y cayeron en cascada alrededor de cada rincón de la casa. Se despertó y gritó: "¿Quién es? Sal de mi casa. Tengo un arma."

Su arma era un cuchillo de mantequilla cubierto con restos de queso de cazuela, su comida favorita. Caminó a trompicones por la casa con expresión de pánico, blandiendo el cuchillo de mantequilla y gritando de nuevo: "Fuera. Sal. Tengo un arma."

Mi abuelo blandió el cuchillo salvajemente, dejando un galón blanco de queso de cazuela en la manga del copete y cortando una pequeña hendidura blanca en el flocado favorito de mi abuela. El copete, por lo demás ileso, se deslizó escaleras abajo.

"Y no vuelvas", dijo mi abuelo con firmeza. Luego preguntó: "Ida, ¿estás bien?"

Aunque mi abuelo debería haber tenido la ventaja en la oscuridad, la rápida fuga del copete demostró que había estado en situaciones mucho peores que ser perseguido por un ciego con un cuchillo de mantequilla cubierto de requesón.

Por todo esto, estoy agradecido. A esta edad muy temprana, aprendí el valor del estoicismo. No es que sea un acólito de Zenón de Citio, aunque Zenón enseñó que la fortaleza conduciría al control de las emociones, lo que a su vez conduce a un pensamiento claro. ¿Cómo podría culpar a una abuela por buscar compañía? ¿O a un Lotario untuoso por brindar esa compañía? ¿O culpar a un ciego por un accidente? ¿O a un médico mal entrenado por no enderezar mi dedo? ¿O al Ángel de la Muerte por lo que se hizo en su nombre?

No es que sea intrépido o impermeable al dolor y las acciones de los demás. Tampoco soy una Pollyanna que ve lo bueno en todos. Tampoco soy un fanático del proselitismo, que cree que puede cambiar a otros al exponer y explotar sus debilidades. La mía es una aceptación cómoda y pragmática de que puedo cambiar poco de lo que sucede a mi alrededor. No es Zenón de Citio por dentro, es Zenón de Citio por fuera.

4

YUDEL Y FERN

Justo después de mi primer cumpleaños y sin fanfarria ni ceremonia, me entregaron a Yudel y Fern. El
orden de estos intercambios se determinó eligiendo
nombres de un sombrero. Era un bonito sombrero,
además, del tipo que los hombres usaban para trabajar justo antes y después de la Segunda Guerra
Mundial.

Yudel y Fern eran dueños de una tienda de comestibles que no tenía un nombre formal en el exterior, solo un logotipo de Coca-Cola descolorido.
Había un letrero escrito a mano con tinta manchada
que cubría la mayor parte de la ventana delantera y
decía: "Nos especializamos en todo". La mayoría de
los días, incluido el invierno, mis primos se sentaban
afuera de la pequeña tienda en viejas cajas de refrescos de madera, esperando a los clientes.

El negocio de los comestibles es un negocio difícil, especialmente cuando no vendes mucho y los márgenes son reducidos. Cuando ganaban dinero, lo guardaban en secreto en una caja de seguridad, al igual que casi todos los comerciantes locales. La tienda estaba tan tenue que parecía cerrada. Si no fuera por una bombilla débil cerca de la caja registradora que arrojaba un tono amarillo, incluso los clientes habituales no se habrían dado cuenta de que estaba abierta.

Las tablas del suelo crujían bajo las suelas de todos y los estantes se hundieron por el tiempo. La caja del congelador de helados contenía marcas de las que nadie había oído hablar, del tipo en el que la envoltura de papel se pega al cono empapado y en realidad mejora el sabor. El exterior de porcelana de las vitrinas del refrigerador estaba tan descascarado que parecía marmoleado, mientras que el techo de hojalata estaba manchado por el humo del cigarrillo y el abandono. Pero, ¿quién mira hacia arriba en una tienda de comestibles? También vendían agua mineral en las pesadas botellas azules con una manilla como grifo. Junto a estos se encontraba el sifón normal en botellas que necesitaban un abridor de botellas estándar. Esta versión carecía de la carbonatación o el cuerpo del sifón de botella azul, pero la gente tenía sus favoritos. Yudel decía: "El agua mineral es para las manchas. El agua tónica es para bastardos ricos. Pero la soda hace crecer pelos en tus bolas ". Por supuesto, no les decía eso a todos.

A pesar de que no eran religiosos, Yudel y Fern cerraban la tienda de comestibles en Rosh Hashaná y Yom Kipur para cuidar las apariencias. Odiaban despegar para los ocho días de Pascua.

Fern no se veía a sí misma como dueña de una tienda de comestibles. Ella pensaba que era la hermana judía Andrews. A menudo cantaba a los clientes, les gustara o no. Le gustaba especialmente "Beat Me, Daddy, Eight to The Bar" y "Bei Mir Bistu Sheyn". En asuntos familiares, insistía en cantar con las bandas de bar mitzvah. Una banda tocó intencionalmente fuera de tono solo para interrumpir su voz. Ella siempre estaba buscando a las otras hermanas judías Andrews para comenzar un grupo. A Yudel, un pianista terrible, le gustaba acompañar a Fern. Él pensaba que ella era bastante buena y ella agradecía su esfuerzo y apoyo.

Los pecados de los padres recaerán sobre el hijo, y así fue para su hijo, Jerry, producto de su lujuria adolescente. Jerry fue sentenciado a cadena perpetua en el supermercado. Se imaginaba a sí mismo como un mujeriego y trató de aprovechar al máximo el único hecho no relacionado con los comestibles que conocía como una frase para ligar. "Saben", les decía a las mujeres, "los soldados usaban gabardina durante la Guerra Hispanoamericana, y ahora estoy aquí para servirles". Antes de cada entrega en bicicleta, ignorando la historia y en constantes arrebatos de optimismo inmerecido, decía: "Podría tardar un tiempo". Siempre regresaba rápido.

La cabeza de Jerry era ovada como una berenjena. Momentos después de afeitarse, parecía que necesitaba otra afeitada. Tenía una colección de camisetas y camisetas sin mangas, donde enrollaba sus cigarrillos en las mangas cortas. Jerry se metía el peine en el bolsillo trasero de sus pantalones de gabardina, lo que le hacía parecer como si estuviera cagando ortigas. Su trabajo principal, además de las entregas, era abastecer la tienda, pero se negaba a usar una escalera o un agarrador, por lo que cada estante superior era un desastre. Cuando Yudel o Fern decían algo, él respondía: "Trabajo de mujeres". No siempre estaba claro cuánto le pagaban a Jerry, pero no iba a ir a ninguna parte. Sin embargo, era mi un cuarto de hermano a falta de un nombre mejor para nuestra relación.

Como Yudel y Fern trabajaban, pasaba la mayoría de los días en la tienda. Siempre que necesitaba una siesta, me colocaban en la escala de productos "No para el comercio" y le daban un giro suave. Con un poco de acolchado, la báscula era bastante cómoda. Los clientes pensaban que era lindo siempre y cuando no hiciera nada malo antes de pesar sus melocotones.

Yudel les debía dinero a los Chicos debido a sus

hábitos de juego. Debido a que no pudo pagar estas deudas, los Chicos usaron su tienda de comestibles como fachada para los números corrientes. Las tiendas de comestibles y las tintorerías eran algo natural para los números. En lugar de pasar una lista de la compra en el mostrador o un recibo de un par de pantalones planchados, la gente entregaba una hoja de papel con el número seleccionado y algo de dinero para la apuesta. Para ganar, tenías que hacer coincidir tu número de tres dígitos con un número de tres dígitos que era imposible de arreglar o manipular. Por lo general, el número ganador era el asa, los tres últimos números del monto total apostado en una pista de carreras, una cifra publicada para que todos la vean en los periódicos. Esto le daba credibilidad a un acto ilegal.

A menudo, había grupos de apostadores esperando a que les entregaran los periódicos. Algunas personas nunca compraban el periódico, sino que solo pasaban a la última página para comprobar el asa; otros preguntaban: "¿Puedo mirar por encima de tu hombro?"

A Yudel le encantaba tomar números, aunque se suponía que era un castigo por no pagar sus deudas. Pero pensaba que eso lo convertía en un *shtarker*. Usaba el mismo tipo de clip para billetes que muchos de los Chicos, una banda de goma pequeña pero gruesa que generalmente se reserva para unir tallos de brócoli. Los suyos sostenían sus grandes billetes en un fajo apretado. El de Yudel era todo individual con un diez como envoltorio.

El dinero de protección se recaudaba de cada propietario de tienda y Yudel no era una excepción. Cuando era niño, asumí que todos pagaban protección, incluso Macy's. Quizás Macy's pagaba más y los Chicos enviaban a alguien importante para que recogiera el efectivo. O tal vez pagaban en anillos de meñique del mostrador de la joyería.

Fern se ocupaba de los clientes habituales, mientras que Yudel se ocupaba de los clientes especiales, como los delincuentes y el policía de turno, a quienes sobornaba con comida y chismes del barrio.

Pero eran los panecillos ilegales las que mantenían la rentabilidad de la tienda. Cuando Yudel y Fern compraron la tienda, encontraron un horno en la esquina del sótano que no figuraba en el certificado de ocupación. Los bomberos nunca lo inspeccionaron, aunque Yudel también los habría sobornado con gusto, si fuera necesario. El horno estaba escondido detrás de una pared de ladrillo parcial, probablemente una vez utilizado para almacenar carbón. Yudel colgó una lona oscura para bloquear la vista desde lo alto de las escaleras y arrojó al azar cajas vacías aquí y allá en el sótano para emular el desuso. Por supuesto, nunca pudo encontrar la manera de disfrazar el calor de un horno en funcionamiento o el olor de panrcillos recién hechos.

Sus panecillos eran espectaculares. Un sabio de

los panecillos. La masa era húmeda y el exterior estaba perfectamente marrón. Con el pulgar, presionaba pequeños cráteres en el centro, llenando algunos con cebolla o ajo picados, dejando otros vacíos. Y los domingos, preparaba *pletzels*, panecillos casi del tamaño de platos cubiertos de semillas de amapola y cebollas. Los podías llevar a casa, tostarlos, untarlos con mantequilla y, como hacen todos los buenos judíos, morir de un infarto.

Los ingredientes no podrían ser más simples: harina con alto contenido de gluten, sal, agua helada y levadura. Yudel pensaba que el ingrediente especial era el agua helada, pero nunca compartió las proporciones exactas con nadie, incluida Fern. Era lo único que hacía mejor que otros, y quería que siguiera siendo así. Jerry, por supuesto, arrastraba las bolsas de hielo al sótano.

Todos los miércoles, exactamente al mediodía, dos de los Chicos iban a la tienda a cobrar la comisión, el interés semanal asesino que cobraban los usureros. Un miércoles, la tienda se llenó de tres hombres anchos cuyo cabello negro brillante y zapatos negros brillantes solo estaban separados por el pardo de sus abrigos de pelo de camello. Mientras Jerry se escondía detrás de las cajas de Rice Krispies, Fern se pegó desafiante al asiento de su caja de refrescos.

"¿Dónde está nuestro dinero, Yudel?"

"¿Que dinero? Pago a tiempo".

"No estoy hablando de la comisión".

"Bueno, ¿de qué estás hablando?"

"Estás sacando dinero de la parte superior".

"Saben que nunca les haría eso a ustedes".

"Sí, pero tu libro está detrás de todos los demás tipos que manejan números en el vecindario. Entonces, o eres un ladrón o un idiota ".

"Entonces soy un idiota. Ustedes saben que nunca haría eso ".

"Eres un idiota, y ahora no podrás meterte el dedo en la nariz tampoco".

Con eso, agarraron a Yudel y pusieron su mano derecha en la cortadora de pan y accionaron el interruptor. Sus gritos se podían escuchar por cuadras. Pero la gente que entraba corriendo a la tienda vio quién era y salió corriendo con la misma rapidez. Cuando los tipos amontonados se fueron, uno no dijo a nadie en particular: "Lo mejor desde el pan de molde".

Los dedos de acero de la máquina habían quitado los de Yudel, que ahora estaban entre migas y semillas de centeno. Incluso si no era culpable de robo, envió un recordatorio de la mafia a todos los demás en el vecindario. "A veces solo tienes que golpear a alguien". O simplemente hazlo memorable.

Sin la mitad de sus dedos, el negocio empeoró. Nadie quería que Yudel tocara sus comestibles, incluso los productos empaquetados, pero especialmente cualquier cosa cortada a mano: carnes o queso. Además de su repulsión, todos sabían quién los cortó y no querían ofenderlos. Los niños entraban a la tienda y pedían un pan de centeno cortado en rodajas y luego se echaban a reír. Otro gritó: "Aquí está mi boleto para el juego de los Dodgers, ¿quieres ver mi talón?"

Yudel trató de obtener una compensación laboral y les dijo que se había cortado los dedos rebanando pan. Cuando el burócrata pidió pruebas, Yudel levantó la mano. "Voy a necesitar más que eso", dijo el burócrata.

"¿Como qué?"

"Testigos. Sin mentirosos. Imágenes. No retocadas. ¿Tienes los dedos? Eso sería bueno."

Todo esto puso una carga para Jerry, quien después de años de trabajar en la tienda de comestibles todavía no sabía cuánta mortadela cortar o ensalada de papas sacar con una cuchara para hacer media libra. Y cuando ponía demasiada ensalada de papas en un recipiente, se comía la media cucharada sobrante o las rebanadas adicionales de mortadela frente a los clientes en lugar de dárselas en nombre de la buena voluntad.

Unkle Traktor y la tía Georgia vinieron a visitar a Yudel y Fern para ofrecer consejos y simpatía. Unkle Traktor le dijo a Yudel que después de que Otto von

Bismarck trató de destruir a los socialistas y marxistas, trató de aplacar a las masas estableciendo el primer programa moderno de discapacidad.

Yudel respondió: "Genial. Lo veré a primera hora el lunes".

La tía Georgia trató de ofrecer su propia historia alegre. Señaló que Paul Wittgenstein, el pianista concertista y hermano de Ludwig, si no lo sabías, había perdido su brazo derecho durante la Primera Guerra Mundial. Entonces el pianista pidió a compositores famosos, como Ravel y Prokofiev, que escribieran piezas para piano exclusivamente para la mano izquierda.

Pero Yudel ya había tenido suficiente. "¿Crees que este tipo Ravel todavía está por aquí? Si no, ¿qué tal si le preguntas a Harry Ruby o Irving Berlin?

Todo esto contribuyó al deterioro del estado de Yudel. Para probarse a sí mismo y a la familia que era un padre protector y digno, me recogía con la mayor frecuencia posible. Desafortunadamente, muchas veces me resbalaba entre sus dedos faltantes y, algunas veces, caía al suelo. Trataba de no llorar. Pero un día, me dejó caer de bruces y me dejó una cicatriz entre los ojos que parecía el mapa de Israel. Un poco. Estaba y estoy orgulloso de esa cicatriz. Es como abrir el corazón, excepto que está en el medio de tu frente. Por supuesto, la mayoría de los estadounidenses son terribles en geografía, y pocos lo reconocían por lo que era, excepto por un par de judíos en el vecindario y un cartógrafo israelí. Yudel, lamentablemente, me había dejado caer de cabeza antes de la Guerra de los Seis Días de 1967, por lo que ni Gaza ni Cisjordania estaban representadas.

A medida que el negocio empeoraba, Fern sugirió que vendieran su receta de panecillos y el equipo al mejor postor. Para atraer a los compradores, Fern y Jerry repartieron trozos de panecillos crujientes del tamaño de un bocado con un poco de mantequilla. Por lo general, escondían a Yudel en el sótano, pero un día, cuando salió a tomar aire, Chazzer Cohen estaba allí. El Chazzer vio a Yudel y le preguntó: "No, señor, ¿ya no le agrado?"

Yudel estaba un poco desconcertado. Había cabreado a la mafia y ciertamente no quería insultar al Chazzer, aunque su nombre significaba cerdo en yiddish.

"Por supuesto que me caes bien. ¿A quién no?"

Él Chazzer era demasiado rico para vivir en el vecindario, pero lo hacía. Todos tenían una opinión diferente sobre la fuente de su riqueza. La historia con más dinero habla de cuando Chazzer tenía un quiosco de periódicos en Times Square. Las prostitutas le traían dinero de diferentes países y él les daba dólares estadounidenses con una prima. Pero ahora, era demasiado rico para soportar el frío con las yemas de los dedos de sus guantes de lana cortadas para manejar el dinero más fácilmente. Todavía mantenía su cambio de moneda clandestino y el quiosco y quién sabe qué más.

Muchos tenían miedo de los tentáculos de poder que trae el dinero, aunque nadie podía recordar un episodio relacionado con el Chazzer que pudiera evocar tal miedo. Llevaba un suéter en verano y el mismo abrigo todos los días en invierno. Nadie sabía su nombre real y la mayoría dudaba de que tuviera esposa e hijos. Nadie había estado en su apartamento ni él en el de ellos.

"Escuché que estás vendiendo tu receta de panecillos, y no me preguntaste", dijo el Chazzer.

"Eres un hombre importante y ocupado".

"¿Qué, de repente no amo tus panecillos después de todos estos años?"

"Sé que te gusta comerlos".

"Tienes que comprarlos si quieres comerlos".

"Nunca lo había pensado de esa manera", dijo Yudel levantando las cejas con nerviosismo.

"Por eso soy rico y tú no. Pero puedo cambiar eso".

"¿Cómo?"

"Te daré tres mil por la receta y otros mil por todo lo que hay en la tienda, incluidos los hornos".

Yudel se quedó en silencio por unos momentos. Dijo: "Tengo otras ofertas, ya sabes. Déjame pensar en ellas. También tengo que hablar con mi esposa".

"Hazme saber lo que ofrecen otros *ruhkes*", dijo el Chazzer.

"¿Te emparejarás con ellos?"

"No compito contra fantasmas. Y no competiré contra mí mismo. Así que es mejor que no inventes estos ruhkes porque retiraré mi oferta. Entonces habla con tu esposa y tus ruhkes. Pero no hables con tu hijo idiota. Y no te lo pienses demasiado".

La mente de Yudel comenzó a acelerarse. Eso fue demasiado fácil. El Chazzer no se llamaba Chazzer por nada. La persona promedio solo ganaba tres mil dólares al año. ¿Por qué me daría tanto dinero? ¿Y si quiere usar técnicas de congelación y venderlos por toda la ciudad? ¿Y si quiere iniciar una franquicia? Podría pagar mis deudas. Sacar a esos bastardos de mi vida. Pero el Chazzer necesitaría otro yid que conociera los panecillos. Ese bastardo de Chazzer no está ofreciendo lo suficiente. Algo está pasando. Pero no puedo hacer esfuerzos con mi mano. Podría mudarme a Long Island. Podría ser el primer rico de la familia. Al diablo con ese bebé genio. Puedo jugar a los ponis todo el tiempo.

Unos días después, el Chazzer regresó a la tienda, "¿Nu, señor?"

"He estado pensando en tu oferta y, sabes, puedo ser de gran ayuda para ti", dijo Yudel.

"¿Por qué? ¿Vas a incendiar la tienda y te mudas a Alaska?"

"¿Quién sabe hacer panecillos mejor que yo? Puedo ser tu mano derecha. Más o menos."

"Daré cinco mil por todo, incluida la receta, pero no por ti".

"¿Qué quieres decir? ¿No me quieres?"

"No es que no te quiera. Son otros los que no te quieren ".

"¿Qué otros?"

"Los otros que ya no entran en tu tienda".

"Te lo diré pronto".

"No te tomaré, pero tomaré a tu hijo idiota. Tengo cosas idiotas para que haga. Pero esa es mi oferta final y no va a cambiar ".

Una vez más, Yudel estaba absorto en sus pensamientos. Cinco mil. Eso es un montón de jodidos panecillos. ¿Qué esta haciendo? ¿Debería simplemente tomar el dinero y correr o decirle sobre congelarlos o el negocio de la franquicia? Pero si menciono el negocio de las franquicias, lo hará él mismo. No necesito al Chazzer, necesito el dinero. Y él no me quiere.

Esa noche, después de la cena, Jerry salió como de costumbre. Pasaba las tardes sentado en los autos con los otros chicos del vecindario que pensaba que eran sus amigos. La gente a menudo asomaba la cabeza por las ventanas y les gritaba que se bajaran de sus coches. Ellos gritaban en respuesta, "Mi trasero es demasiado bueno para tu auto", pero se movían. Algunas noches lanzaban centavos. Sobre todo, discutían cosas de las que no sabían nada, una y otra vez.

"Los romanos inventaron el baño. Ellos inventaron todo. Nadie se bañó antes que ellos ".

"Alguien debe haber inventado el baño antes que ellos".

"Sí, ¿quiénes?"

Inevitablemente, la conversación se centraría en los Brooklyn Dodgers, donde las estadísticas se consideraban similares a las revoluciones de un motor. Comenzaban lentamente en la primavera, competían durante el verano y se detenían abruptamente en el invierno. Siempre comparaban a los tres jardineros centrales de Nueva York, pero Duke siempre se quedaba corto ante Willie y Mickey. Su consuelo tácito era que Duke estaba en esa conversación.

Aunque el grupo de Jerry tenía veintitantos años, cada noche parecía terminar igual. Una de sus madres sacaba la mayor parte de su cuerpo por la ventana y gritaba: "Larry, sube las escaleras antes de que yo baje y te mate". Las madres comenzaron a gritar cuando sus hijos tenían siete años y no pudieron parar.

Así que tan pronto como Jerry salió de la casa para unirse a su pandilla, Yudel le contó a Fern sobre el Chazzer.

"Entonces, le vas a vender todo, ¿verdad?" dijo Fern.

"Todo esto me hizo pensar. En lugar de vender la receta, creo que puedo convertirme en un magnate de los panecillos. Podría franquiciar los panecillos y convertirme en el Howard Johnson judío".

"Howard Johnson es tan goyisha".

"Solo lo estoy usando como un ejemplo exitoso".

"¿Conoces a uno judío?"

"Estoy seguro de que lo hay, pero no puedo pensar en eso en este momento. Además, ¿quién sabe acerca de los panecillos excepto los judíos y quizás algunos de sus amigos goyisha? Podríamos anunciar. Hacerlos sexys. Tendremos chicas guapas, como en esos anuncios de coches. Pero para vender panecillos".

"¿Qué van a hacer las chicas guapas, abrirse de piernas en un panecillo como lo hacen en los autos? Simplemente toma el dinero del Chazzer y luego pensaremos en algo".

"No. Solo tengo que averiguar de dónde sacar el dinero. ¿Quizás los Chicos?

"Bueno, hasta ahora han sido buenos contigo".

"Tienes miedo de que si tengo éxito te dejaré por una jovencita".

"Pensándolo bien, ve y pídeles dinero a los Chicos. Y asegúrate de que te den la mano izquierda cuando estés de acuerdo con el trato".

"Fue tu idea en primer lugar vender la receta de los panecillos. Y el Chazzer no me quiere ", le dijo Yudel a Fern.

"Sí, pero al menos le daría un trabajo a Jerry. Piénsalo. De lo contrario, tendríamos que pagarle a alguien para que nos quite a Jerry de las manos".

Mientras Yudel soñaba y tramaba, me estaba criando una mujer que era básicamente una madre soltera con un hermano medio tonto en el fondo. Le encantaba cantarme. Después de todo, yo era su audiencia cautiva. Aunque su versión boogie-woogie de "Old MacDonald" era muy extraña, la mayoría de sus melodías eran grandes canciones de una época diferente.

Cuando Fern y Yudel se sentaban al frente de la tienda, generalmente me unía a ellos, ya sea en un carruaje o en sus brazos, siempre vistiendo la cantidad adecuada de ropa para el clima. Yo era un cómplice dispuesto a atraer negocios. Yo era el guisante en el timo, la carta de dinero en el monte de tres cartas. Ese era mi trabajo y tenía que ayudar lo mejor que podía. Pocos pueden abstenerse de arrullar a un bebé, incluso a un bebé feo. No es que yo fuera feo.

5

REUNIÓN DE EMERGENCIA

La pérdida de los dedos de Yudel y sus muchas consecuencias requirieron una reunión de emergencia en
el patio. La familia, por supuesto, no les dijo a Yudel
y Fern que se trataba de una emergencia. El patio,
una delgada franja de cemento roto entre la parte trasera de la casa de mis abuelos y su garaje, solía estar
reservado para los domingos y los días festivos estadounidenses. Nunca se encontraban en una festi-
vidad judía, excepto Sukkoth. Encima y alrededor
colgaban cables eléctricos, líneas telefónicas y tende-
deros, hundidos por el peso de los recuerdos y la ropa
interior. Un fragmento ocasional de pintura descasca-
rada flotaba desde uno de los edificios de apartamentos circundantes como si descendiera de los
cielos. Mi madre siempre consideró esas motas un
presagio, pero nunca lo dijo.

Se podía ver una cortina de polvo en el garaje cuando el sol atravesaba su diminuta y lúgubre ventana. Debido a la ceguera de mi abuelo y a que mi abuela se irritaba por todo lo inventado después de 1900, no tenían coche y el garaje normalmente estaba en barbecho, excepto ahora. El garaje estaba alquilado actualmente a un campeón de Studebaker. El coche era tan largo que sobresalía más allá de la puerta del garaje y usurpaba parte del patio. Y era tan amplio que el dueño apenas podía maniobrarlo arriba y abajo por el estrecho callejón que conducía a la calle entre la casa adosada de mi abuela y la siguiente casa adosada. Pero esta fue una situación temporal. La compra de un automóvil nuevo, especialmente uno grande, generalmente indicaba un cambio a un vecindario mejor en el futuro cercano.

Nuestra familia llegó y se fue sentada. Si el mundo pudiera ser conquistado sentándonos, seríamos zares y zarinas. Se reunieron con gruesos abrigos de invierno, que los protegían no solo del frío, sino también de que sus traseros se pincharan con el enrejado de plástico deshilachado que sujetaba las sillas plegables de aluminio. Una silla de comedor de madera, bajada dos tramos de escalones, se elevaba aristocráticamente sobre los campesinos. Y ahora había una adición reciente, una sola caja de shiva del funeral de Rose Hips.

Por alguna razón, la familia no discutía sobre los males que pueden afectar a las personas equivocadas que se sientan en una caja de shiva en el momento equivocado. Quizás era demasiado obvio. Quizás hacía demasiado frío. Tampoco culparon a nadie por olvidarse de devolver la caja solitaria a la funeraria. Un asiento extra siempre era bienvenido. Pero cualquiera que haya sido parte de una familia sabe que realmente no tiene que haber una razón para que un miembro se enoje con otro. Es casi irracional elegir una razón sobre otra

Por lo general, las sillas estaban dispuestas en semicírculo alrededor de un desagüe atascado, pero ese día se sentaron acurrucados cerca de las rejillas más pequeñas, esperando una chispa de calor. Si querías parecer que ya no odias a los japoneses, lo llamas hibachi. La parrilla se elevaba a no más de quince centímetros del suelo sobre un par de delgadas piernas cruzadas como un yogui artrítico. No contenía más de cinco cubos de carbón y dos, tal vez tres, hamburguesas. Mi padre y Tummler se ocupaban de la parrilla, fingiendo que las hamburguesas en realidad se estaban cocinando mientras las volteaban de un lado crudo a otro crudo. Una ráfaga de febrero cayó sobre la carne, lo que hizo que pareciera que estaba rociada con sal gruesa.

"Tenemos hambre", dijo Muriel, que lo podría haber dicho cualquiera.

"Necesitamos comprar una mesa de picnic", era una queja que se repetía a menudo, ya que todos balanceaban sus platos de comida y bebida en sus regazos o en los brazos tubulares de las sillas.

"¿Llamas a esto un picnic?" Muriel respondió. "Esto no es un picnic".

Yudel y Fern llegaron tarde y, tan pronto como lo hicieron, mi padre hizo acopio de toda la autoridad que pudo para declarar: "Hoy vamos a discutir el futuro del niño. ¿Qué han hecho Ida e Izzy hasta ahora? ¿Pueden cuidar de él Yudel y Fern? ¿Qué debemos hacer juntos?"

Naturalmente, mi madre y mi padre estaban preocupados por mis lesiones físicas, los acontecimientos extraños y amenazantes y las cuestionables técnicas de crianza de los hijos. Ciertamente, deben haberse sentido culpables de haber aceptado el gran plan de mi abuela, que a su vez los llevó a esas situaciones. Por lo general, esto parecería una reacción de los padres prudente y responsable, pero estas fueron parte de mi educación y las mismas razones de las diversas administraciones. Desafortunadamente, todavía era demasiado joven para hablar. Pero en lugar de pedir la custodia a tiempo completo, mis padres trataron inteligentemente de dirigir y controlar tantos aspectos de mi educación como fuera posible sin provocar a mi abuela ni crear animosidad entre los demás.

El patio, que generalmente era el foro de comentarios espinosos, anuncios inesperados y conversaciones inútiles, se convirtió en una versión familiar de noche escolar abierta. Comportamiento analizado. Calificaciones otorgadas. Tareas asignadas. Pizarrones borrados. Yo sería juzgado según los esfuerzos de los demás.

Mi madre repartió papeles y lápices. "Danny hará algunas preguntas y ustedes escribirán sus respuestas. Si las respuestas son secretas, la gente no se enojará tanto".

"Sigue soñando. No voy a escribir mis pensamientos".

"Está bien", dijo mi madre. "No usaremos lápiz y papel, pero yo seré la secretaria de actas".

"Esto es estúpido. A Yudel le cortaron los dedos porque no puede controlarse. Ya no debería tener al bebé. Punto. Fin de la historia", dijo Tummler.

"No nos apresuremos. Al menos dale la oportunidad de defenderse y demostrar que no es un inepto ".

"Deberíamos ser amables con Yudel; ahora está discapacitado".

"No perdió los dedos en Normandía".

El abrigo de Fern se abrió. Llevaba uno de esos nuevos sujetadores puntiagudos de moda debajo de un suéter ajustado.

"¿Qué demonios es eso?" preguntó mi madre.

"¿Qué es que?"

"¿Qué es eso? ¿Qué llevas puesto?

"Es lo último", dijo Fern.

"¿Lo último? ¿En qué? ¿Ropa de mujerzuela?"

"Se ven como los viejos pero en un paquete nuevo", dijo mi madre.

"Me gusta. ¿Están cómodas allí? " preguntó Muriel. "Para mí, parecen conos de helado".

"Espero que no goteen en el fondo", dijo Tummler.

"Las mujeres no deberían verse así. No ayuda a nuestro género", dijo la tía Georgia.

"¿Y tu lo haces?"

"Las cosas deben ir bastante bien en el supermercado".

Pero Fern había comprado el sostén con dinero que mi abuela le dio del Fondo Consolador del Genio Republicano. Se suponía que debía usarse para alimentos y productos básicos, ya que la tienda de comestibles estaba funcionando muy mal.

"Tengo derecho a usar lo que quiero", dijo Fern.

"¿Qué piensas, Yudel?"

"Son sus pechos. ¿Qué diablos voy a hacer? De todos modos, ya casi ni los veo ".

"Ves, no están en condiciones de cuidar al niño".

"¿Por qué? ¿Porque usa un sostén puntiagudo?

"Seamos razonables", dijo mi padre.

"¿Razonable?" Tummler enarcó una ceja y resopló por la comisura de la boca.

"Volvamos a por qué vinimos aquí", dijo mi padre. "Para discutir cómo podemos todos, como grupo, por una vez, promover las perspectivas del niño".

"¿Por qué estamos hablando? Te diré por qué.

Porque Yudel es un jugador de mierda enfermo", dijo Tummler.

"Si tuviera las dos manos, te haría una esmecelectomía", dijo Yudel.

"Esto es lo que el gobierno y las empresas quieren que hagamos. Pelear entre nosotros. Se están riendo de nosotros", dijo Unkle Traktor.

"Siempre con las cosas comunistas", dijo Yudel.

"Gay cocken offen yom."

"Paren. Necesitamos estar serios y concentrados. Estamos aquí para discutir el futuro del niño", dijo mi padre. "Primero, ¿qué aprendió cuando estuvo contigo, mamá?"

"No aprendió nada. Es solo un bebé. Simplemente orinó, comió y cagó como cualquier otro niño. ¿Qué esperabas que aprendiera?"

"Se enteró de que hay un *shikker* al lado. Se emborracha tanto que grita que ama a su esposa", dijo mi abuelo.

"Eso es bueno. Ahora estamos llegando a alguna parte. ¿Qué aprendió de estar con Fern y Yudel? preguntó mi padre.

"¿Te dije que casi mato a un ladrón?" preguntó mi abuelo.

"Sí, muchas veces."

"¿Te dije que lo escuché cerrarse la braqueta mientras lo perseguía?"

"¿Arriba o abajo?" preguntó Muriel.

"¿Podemos volver al tema que nos ocupa?" preguntó mi padre.

"OKAY. Yudel es un jugador de mierda enfermo ", dijo Tummler.

"El niño ha aprendido el ABC del negocio de los comestibles", dijo Fern.

"Te refieres a cualquier efectivo que ganes, lo guardas en una caja de seguridad para no pagar impuestos. Esa es una buena lección ".

"Y Jerry lo llevaba en las entregas".

"¿Qué quieres decir? ¿Jerry se lo llevaba a las entregas? ¿Cómo se lleva a un bebé a las entregas?

"En la cesta. Lo atábamos en la canasta y le arrojábamos un *schmatta* si hacía frío o nevaba ".

"No puedes tratar a un bebé así ".

"¿Así cómo?"

"Lo endurece en caso de que la calefacción en el apartamento no funcione".

"OKAY. OKAY. Analicemos lo que todos deberíamos intentar enseñarle al bebé. Así hay continuidad de familia en familia. ¿Qué necesita el bebé?"

"Bueno, un verdadero genio no necesita un lápiz", dijo Muriel.

Mi madre lo escribió diligentemente.

"¿Qué quieres decir con que no necesita un lápiz?"

"Los genios siempre tienen la razón la primera vez, así que pueden escribirlo con tinta. Entonces no necesitará un lápiz ".

"¿Qué pasa si le gustan los lápices?"

"Entonces no necesitará un borrador. Como esos lápices de golf en miniatura ".

"Necesitará un lápiz. Y un borrador, no un bolígrafo, porque los intelectuales no se pueden decidir. Demasiados hechos. No pueden tomar una decisión".

"Así que también necesitará un sacapuntas".

"¿Debo incluir un bolígrafo?" preguntó mi madre, pero nadie respondió.

"Un genio necesita un estante para libros y una bufanda. Una estantería para todos sus libros inteligentes y una bufanda para su cuello frío".

"¿Cómo sabes que tiene el cuello frío?"

"¿Has visto alguna vez esas películas en las que los genios de Inglaterra van a esas famosas escuelas? Bainbridge y Eaten. Todos llevan bufandas".

"Bainbridge está en el Bronx. La prima Hattie solía vivir cerca de allí. Dios guarde su alma."

"Eso es porque no tienen calefacción. Y todos usan anteojos ".

"Estantes de libros, una bufanda y anteojos", decía mi madre mientras los anotaba.

"No necesita bronceador porque la gente inteligente no va a la playa. Pero deberíamos convertirlo en nuestro deber llevarlo a la playa ".

"Coney Island no, puede ser difícil allí. Brighton o Manhattan Beach. Manhattan Beach es para familias ".

"Y no necesita un peine. Mira el cabello de Einstein".

"Ya hemos tenido esta conversación".

"Entonces, ¿por qué no podemos tenerla de nuevo? De hecho, lo voy a poner en mi calendario para el próximo martes para que podamos discutirlo nuevamente".

"Espera un segundo. Tummler, voltea las hamburguesas", dijo mi padre. Tummler volteó las hamburguesas, pero ninguno de los lados estaba cocido.

"Los genios son pálidos. No necesitan la playa. ¿Has visto alguna vez a Shakespeare? Era pálido".

"Esto es una locura", dijo Unkle Traktor, "No estamos hablando de cosas. Debemos prever su avance intelectual".

"Los comunistas también son bastante blancos. Zurdos rojillos. ¿Entiendes? ¿Cuándo fue la última vez que estuviste al sol? ¿Para celebrar el Pacto Hitler-Stalin?

"Hay más en una persona que su intelecto. También está su desarrollo físico, su salud psicológica y su educación moral", dijo mi padre.

"Y su educación política", dijo la tía Georgia.

"Al diablo con todo eso", dijo Yudel. "Mírame. Solo debes saber cómo hacer algo útil, como administrar una tienda o una plomería".

"Ni siquiera sabemos si el niño es un genio. Esto podría ser un Hindenburg colosal".

El dueño del auto en el garaje apareció de repente y cortésmente les pidió a todos que se movieran para poder sacar su auto del garaje y avanzar hacia la calle. La familia se quejó en voz baja, pero obedeció dócilmente agarrando todo lo que tenía a la vista, solo para volver a reunirse, como refugiados desplazados, frente a la casa de mis abuelos.

"Creo que deberíamos irnos a casa", dijo Unkle Traktor.

"Iremos con contigo", dijo Tummler.

"Nosotros también," dijo Fern.

Mis padres y abuelos se quedaron varados detrás del pesado Studebaker escuchando las voces de los otros miembros de la familia mientras avanzaban por la cuadra.

Podemos conseguir un knish en casa de la señora Stahl y comérnoslo en el metro.

"Me gustan los kasha knishes".

"¿Cómo puedes comer eso? Sabe a canicas viscosas".

"Piénsalo como caviar para nosotros los campesinos".

Mi padre le dio un mordisco a una de sus hamburguesas crudas y me dejaron en los brazos de mi madre durante el año siguiente. Demasiado para la discusión de necesidades.

6

MIS PRIMERAS PALABRAS

Mi madre quería deshacer todo lo que habían hecho mis abuelos, Yudel, Fern y Jerry. No es que ella supiera lo que habían hecho. Durante días me miró con ojos agudos y críticos con la esperanza de que revelara algún comportamiento aberrante. Las nuevas madres a menudo les piden consejo a sus madres, pero ella no tenía esa opción. ¿Cómo podía pedir consejo sin despertar sospechas? Y mi comportamiento no era tranquilizador. Le molestaba que yo no tuviera rabietas ni mostrara rebeldía, como suelen hacer los niños de dos años, o como dicen los libros sobre la crianza de los niños. Intencionalmente trató de incitarme a enojarme, solo para ver si tenía el rango adecuado de emociones. Ella colocó mi comida frente a mí y luego me la arrebató. Y luego lo repitió. Reaccioné más como un gato golpeando una bola de hilo. Su prueba pudo haber fortalecido mi coordinación mano-ojo, pero no pareció satisfacer sus preocupaciones.

Cuando me dio un crayón, hice bucles y patrones exactos. Mi madre temía que mis acciones pensativas y deliberadas fueran el resultado de una educación y una disciplina tempranas equivocadas. Así que tomó mi manita y la guió para dibujar líneas rápidas, feroces y aleatorias. Parecía el electrocardiograma de alguien al borde de una muerte irregular, pero mi madre pensó que podría alentar el comportamiento de alguien de mi edad. Imité sus acciones mientras ella miraba. Después de todo, no quería herir sus sentimientos o que creyera que algo andaba mal. Pero cuando volvió la cabeza, inmediatamente reanudé mis modales más estudiados.

Mi madre mantuvo el apartamento espectacularmente limpio, a excepción de la pequeña alcoba que era el dominio de mi padre que explotaba con sus experimentos e ideas. Ella toleraba y respetaba la zona al no enderezarla. En el espacio confinado, mi padre creó un país de las maravillas de criaturas a medio formar, rodeado de paredes decoradas con manchas de sus formulaciones olvidadas.

Se creía un inventor, excepto que inventaba cosas que ya se habían inventado o que no eran necesarias. Este no era el tipo de cosas de "construir una mejor trampa para ratones". Simplemente no sabía que sus creaciones ya existían.

Trabajaba en un lápiz número 2½. Solo había visto los omnipresentes y omnipotentes lápices n.° 2 y pensó que el mundo necesitaba otra opción. No solo ya existían los lápices n.° 2½, sino que fueron clasificados por el padre de Henry David Thoreau, quien inventó un sistema para calificar los lápices. Durante el período posclásico, el lápiz se convirtió en un eufemismo para el miembro masculino. Si esto hubiera sido más conocido, tal vez hubiera cambiado la forma en que se administran las pruebas estandarizadas y los retoques de mi padre.

También inventó cosas que el mundo no quería, como un inodoro móvil. Su idea era colocar un retrete en la parte trasera de una bicicleta de trabajo pesado. Pedalearía por Times Square, Wall Street u otras áreas de mucho tráfico donde un gran número de turistas y neoyorquinos acosados podrían no tener acceso inmediato a un baño. Mi padre tenía la esperanza de que si necesitabas un baño y no había ninguno disponible, te pararas en la esquina de la calle, levantaras el brazo y, en lugar de gritar "Taxi", gritaras "¡Inodoro!" Admitió que habría algunas miradas extrañas al principio, pero estaba convencido de que, una vez que el concepto se popularizara, se volvería tan común como gritar "cacahuetes" en Ebbets Field. Mi padre llamó a este invento Toodle-Loo. Creía que un nombre que sonara británico añadiría un elemento de clase. Había algunos dibujos dispersos de bicicletas en su nicho, pero el único plano residía en su cabeza.

Cuando mi padre me vio en su casa, se dio cuenta de que yo era su experimento más exitoso hasta la fecha. Lleno de alegría, también lo consumía un sentido de responsabilidad. Aunque sus primeros inventos tenían sus raíces en la fantasía y el capricho, ahora creía que debía crear algo práctico y duradero.

Como símbolo de su dedicación a su nueva personalidad y su último proyecto, mi padre abrió un camino en su mesa de trabajo dejando al descubierto la superficie por primera vez en muchos años. Atornilló una pizarra a la pared y con la tiza más blanca escribió en letras mayúsculas: Fanfarria para el genio judío común. Un tributo sesgado pero serio a Aaron Copland. La musa de mi padre no era la música, sino una combinación de manual de instrucciones de celebración y juego de herramientas.

Tomó las notas que mi madre había anotado en la reciente sesión de patio interrumpida con rudeza y agregó algunas florituras propias.

Lo que necesita un genio

- Sacapuntas
- Lápices No. 2 (Desafortunadamente, sus lápices No. 2½ no estaban listos para el consumo público).

- Bufandas
- Estantería
- Libros inteligentes (para un estante)
- Regla de cálculo
- Consejo

Lo que no necesita un genio

- Peine
- Billetera
- Aceite bronceador
- Permiso
- Novia
- Dientes
- Bate de béisbol
- Llave de la iglesia
- Consejo

Mi padre agregó "consejos" a ambas listas con su propio sentido de la ironía e insertó "dientes" solo para ver si alguien comentaba. Su plan era construir un kit de las herramientas enumeradas que necesitaban los genios. Todos entrarían en un estuche de transporte práctico y elegante, y él lo vendería a genios de todas partes. Tendría una versión judía y eventualmente una versión genérica. Su kit incluiría un breve conjunto de instrucciones, pero primero necesitaba una presentación y mi padre probó suerte con varias versiones.

- Era el mejor de los judíos, era el peor de los judíos.
- Cuando en el curso de los eventos judíos ...
- Sostenemos que estos judíos son evidentes por sí mismos. Pero pocos judíos eran evidentes.

La falta de experiencia y entrenamiento formal de mi padre en genios o fanfarrias rápidamente minó su confianza, y dejó la introducción a un lado. Podría terminarla más tarde. Mientras miraba continuamente las listas en busca de inspiración adicional, pensó en lo que constituía la contribución de la familia. ¿Podría ser que cuanto mayor sea la distancia de la experiencia real, mayor será la claridad sobre lo que necesita un genio? ¿O necesitaba pensar más?

Mientras tanto, recogería varios artículos para su equipo. Los empujaba a ellos y a sus ideas sobre su mesa de la misma manera que un niño empuja guisantes por el plato. El reflujo y el flujo de posibilidades aparecieron, desaparecieron y reaparecieron en la pizarra.

Quizás, pensó, debería escribir una carta a Albert Einstein, esa encarnación de los genios judíos. Después de todo, Princeton estaba a solo ochenta kilómetros de donde vivían, y eso podría hacer que Einstein fuera más accesible. Le haría las mismas preguntas que planteó en el patio con la expectativa de una visión brillante. Pero al igual que con su presentación, mi padre se sintió intimidado por el saludo. ¿Querido Profesor? ¿Querido señor? ¿Querido Herr? ¿Querido premio Nobel? Una versión de la carta que rápidamente fue a la basura utilizaba el enfoque de Brooklyn: Querido Al.

Mi padre encontró una cartera negra usada por un médico para los artículos que había acumulado. El cuero marrón se veía a través de las asas deshilachadas, pero como prototipo, el bolso era útil. Puso un pañuelo que había tejido mi abuela, una regla de cálculo y un sacapuntas, pero volvió a ralentizarse cuando se quedó desconcertado por lo que constituía un libro inteligente. Había opciones obvias, como un diccionario de bolsillo, que podía incluir en el kit. Pero estos libros eran instructivos, no estimulantes. ¿Qué pasa con los grandes libros? De todos modos, ¿por qué eran grandes libros? Si eligiera uno sobre otro, ¿sería eso una indicación de que un escritor era más importante o más astuto que otro?

Solicitó ayuda a mi madre. Una mañana, a petición suya, mi madre se dirigió a la biblioteca de la calle cuarenta y dos, ese imponente pero accesible depósito de conocimientos acumulados. Pidió información sobre los grandes libros y la bibliotecaria le trajo tres cajas de microfilmes.

Las máquinas de microfilm se burlan de todos.

En esta vasta guarida de conocimiento, comenzaba una película muda de humillación cada vez que alguien intentaba enhebrar una bobina correctamente. Y una vez enganchada, la película pasaba a gran velocidad frente al visor óptico a una velocidad imposible de detener en el lugar exacto necesario o se arrastraba demasiado lento para terminar ese día. Mi madre se preguntaba si mi padre la había enviado porque sabía que ella encontraría lo que necesitaba o porque él también odiaba convertirse en un tonto público. El hecho de que otros también se equivocaran ofrecía poco consuelo. ¿Cómo, pensó ella, es posible que los espías hayan utilizado el microfilm durante la Segunda Guerra Mundial? Finalmente, mi madre se centró en la información necesaria. Insertaba algunas monedas en el enloquecedor aparato que arrojaba copias fotostáticas de la misma manera que un premio de consolación barato decepciona en una sala de juegos. Unkle Traktor dijo que Leon Trotsky solía hacer investigaciones en la biblioteca, pero dudaba que fuera mejor con las máquinas de microfilm.

Esa noche compartió lo que encontró con mi padre. Miraron las copias borrosas y luego se miraron entre sí. "Esto es perfecto", dijo mi padre, "nadie puede leer estas cosas. Así que cualquier genio que se precie tendrá que tomar la determinación por sí mismo".

Afortunadamente, mis dos padres tenían trabajos

para apoyar estos intereses. Mi madre trabajaba a tiempo parcial como recepcionista en una compañía de taxis local. El taxista judío era un fijo de la Nueva York de aquellos años, llenando las calles con los chistes o comentarios políticos más cursis, siempre con un sesgo que trascendía la lógica. Muchos se conformaban con el estereotipo del escéptico que muerde cigarros, usa gorra, se agacha en sus asientos, se abre paso entre el tráfico, toca la bocina y maldice. Era imposible conseguir un taxi en Nueva York en Rosh Hashaná y Yom Kipur. Algunos chicos prestaban sus taxis para esos días a sus amigos italianos, incluso si no tuvieran una licencia de pirateo.

Mi madre se sentaba en una cabina a prueba de balas con agujeros perforados al azar para la comunicación y el aire. En el verano, proporcionaban un pequeño abanico, que ofrecía poco alivio; en invierno, un par de calcetines extra. Dos días a la semana, contaba el dinero en efectivo contra las hojas de viaje de los taxistas después de que regresaban al garaje en Brooklyn al final de sus turnos. Los taxistas le pasaban los recibos del día a través de una bandeja deslizante en su recinto. Siempre había algunos que se inclinaban y gritaban a través de la bandeja deslizante porque pensaban que no podían ser escuchados. Cuando mi madre conocía a los agresores, metía un trapo en la abertura cuando se acercaban, lo que los hacía gritar más fuerte.

Pero la mayoría de los taxistas eran corteses o indiferentes hacia mi madre. Después de todo, dado que obtenían el 45 por ciento de las tarifas y todas sus propinas, un recuento preciso era importante. Por supuesto, estaban los tipos que pensaban que les correspondía hacer comentarios groseros.

Mi madre respondía de la misma manera: "Mi marido es un asesino y sale de la cárcel el jueves".

Y después de que ella trabajó allí por un tiempo, los taxistas respondían de forma estándar: "¿No se suponía que iba a salir la semana pasada?"

Mi madre rara vez se equivocaba.

Mi padre era terriblemente inteligente y listo, pero no lo suficientemente inteligente y listo para ganar mucho dinero. Durante las horas del día, trabajaba como vendedor / cortador en el negocio de schmatta. Por lo general, una tienda, por pequeña que fuera, tenía un hombre interno que supervisaba la producción y un hombre externo que realizaba las ventas. Ambos miraban las finanzas. Mi padre hacía un poco de cada uno. Por las mañanas, hacía llamadas de ventas. Después del almuerzo, se ponía un delantal andrajoso, los bolsillos llenos de tiza, ceras finas y pelusa, y cortaba los artículos, que luego se coserían en abrigos de mujer.

Los días que trabajaba mi madre, mi padre me llevaba a la tienda con él. Muy progresista para la época. Mi presencia molestaba a algunos de los hombres. Pero Nat, un tipo que trabajó duro toda su vida solo para mantenerse a la par, llegó a aceptarme. Si mi padre no estaba mirando, me ofrecía sorbos de cerveza y me susurraba al oído: "Si vas a estar con hombres, debes actuar como un hombre". La cerveza pegajosa se sentía bien en mis labios.

En los fríos días de invierno, preparaban prendas de verano y, en los sofocantes días de verano, abrigos de invierno. Durante los veranos, las ventanas se mantenían abiertas al sonido de la ciudad. Las aspas del ventilador de techo eran tan grandes que casi se podía ver circular el aire y giraban tan lentamente que se podían contar las rotaciones.

Una tarde, mi padre se enfrentó a un verdadero dilema. La tienda no podría atender un pedido de un cliente importante. No habían hecho suficientes ochos de tamaño. Seis, dieces, doces, incluso unos cuatros. No hay ochos. Y fue entonces cuando pronuncié mis primeras palabras: "Hagan los seis, los ocho".

Hasta ese momento, no había pronunciado una palabra. Eso había puesto a todos nerviosos, especialmente a aquellos que esperaban palabras de un genio. Para mis padres, incluso un simple *mamá* o *papá* habría sido suficiente. Pero ese día, dije: "Haz seis, ochos".

Nat y mi padre se quedaron mirando mis labios. Mi padre se sorprendió de que yo hubiera dicho algo, cualquier cosa. Nat no podía creer que le ofreciera un consejo fraudulento, aunque útil.

Repetí: "Hagan seis, ochos".

Cuando mi padre entendió lo que quería decir, dijo: "No sabe lo que está diciendo. No podemos hacer eso ".

"Tenemos que. Tenemos que convertir unos seis en ocho. Algunos diez también", dijo Nat. "Las prendas tienen que irse hoy. De lo contrario, estamos jodidos ".

Mi padre y Nat cortaron las etiquetas de algunos abrigos del tamaño seis y algunos del tamaño diez. Luego reemplazaron las etiquetas recortadas con etiquetas de tamaño ocho, torciendo el lazo colgante de la etiqueta alrededor de los botones. Milagrosamente, en media hora, cambiaron todos los abrigos a las tallas necesarias para completar el envío. Sabían que algunos futuros compradores, mientras se probaban los abrigos de la talla diez mal etiquetados, se regocijarían pensando que habían perdido peso. Otros que probaran un falso seis se desesperarían porque ya no podrían caber en su tamaño habitual de ocho. Y algunos se preguntarían por qué diferentes tamaños se ajustan de la misma manera. En cualquier caso, me alegré de poder ayudar a mi papá, a pesar de que al principio dudaba.

"Si alguien se entera, les diremos que fue idea mía", dijo Nat. "No queremos problemas con las leyes de trabajo infantil".

"No se lo digamos a tu madre", dijo. "Cualesquiera que sean tus próximas palabras, serán tus primeras palabras. ¿Entendiste?"

No dije una palabra. Bueno, al menos durante unas semanas.

7

MALDICIÓN FAMILIAR

Jerry fue fundamental para el proyecto, pero no se le pudo informar del plan.

Una noche, después del trabajo, Yudel y Fern aparecieron inesperadamente en la puerta de mis padres. Los regalos que trajeron solo hicieron que mis padres se sintieran aún más aprensivos.

"Pensamos que podrían necesitar un cochecito", dijo Fern. "Era de Jerry, pero todavía está en buena forma".

"Eso fue muy considerado", le dijo mi madre a Fern.

"O podría convertirlo en una bicicleta para Jerry si quieres", dijo mi padre.

"Y nosotros también tenemos esto". Yudel introdujo en el apartamento una gran caja de cartón ondulado en una carretilla de mano y la abrió con su navaja para dejar al descubierto un televisor.

"Gracias. ¿Qué les debemos?"

"Nada."

"Bueno, debemos deberles algo."

"Guarden la caja para el niño".

"Gracias. ¿Cuál es el truco?"

"Me sentí un poco culpable por tomar la televisión de Rose Hips. Además, esto se cayó de un camión".

"Gracias."

"No hay problema. No dejes que mucha gente sepa que tienes uno. O dónde lo conseguiste".

"Ni que decir."

"También conseguí uno para Traktor y Georgia e Ida e Izzy también".

"Eso es bueno. Pero, ¿para qué necesita un ciego un televisor?

"Solo dile que es una gran radio".

"Creo que podría pintarlo", dijo mi padre.

"¿Por qué quieres hacerlo?"

Mi padre no respondió al principio. Finalmente, dijo: "Creo que se vería mejor en blanco".

"Nadie pinta su TV. ¿Y blanco? ¿Pintaste tu radio?"

"Sí, lo hizo", dijo mi madre.

"Vas a pintar la televisión para disfrazar la evidencia, ¿no es así?"

Pero mi padre a menudo pintaba cosas que no necesitaban pintura. Pintó la cubierta del radiador tantas veces que el calor apenas podía filtrarse. Pintó el asiento del inodoro porque no quería comprar uno nuevo, y dejó un anillo blanco alrededor de su trasero y el de mi madre.

Mis padres habían comprado mesas de bocadillos de TV en oferta con la esperanza de tener un televisor algún día, por lo que esta sería su primera oportunidad de usarlas. Cuando entré en la habitación y vi la televisión, me asusté. La pantalla me pareció una herida abierta. Me refugié en la caja de cartón ondulado. Los cuatro adultos intentaron consolarme y sacarme de la caja. Habían crecido escuchando y mirando la radio, pero esta cosa les devolvía la mirada.

Cuando enchufaron la televisión, la pantalla se llenó de nieve, una versión moderna en blanco y negro que solo se ve en la electrónica, con un zumbido que parecía una advertencia.

"Tienes que colocar la antena de orejas de conejo", dijo mi padre. Esto lo sabía leyendo sus revistas *Popular Mechanics*. "Tal vez pueda aprender a ser un reparador de televisores y hacerlo de forma paralela".

"¿Qué lado?" preguntó Fern.

Mi madre, mientras tanto, preparaba lo que había en el refrigerador y lo dejaba sobre las mesas de bocadillos, aunque no había una imagen real en la pantalla del televisor.

La familia charló sobre esto y aquello hasta que

Yudel finalmente dijo: "Tengo una propuesta comercial. Quiero comenzar a franquiciar panecillos, pero necesitaré capital inicial".

"¿Franquicia de panecillos? ¿Quién diablos compraría una franquicia de panecillos?

"Tenemos que enseñarle al mundo sobre ellos, eso es todo".

"No tengo ese dinero. E incluso si lo tuviera, no creo que lo haría. Suena como una idea loca".

"Espera. ¿Conoces a Chazzer Cohen de nuestro vecindario?

"¿Se supone que debo hacerlo?"

"Bueno, es el hombre más rico del barrio. Todos saben eso. Y quiere comprar mi receta de panecillos. Pero un *macher* como él no la compraría a menos que hubiera algo detrás".

"Entonces véndesela".

"Si se la vendo, no me quiere como parte del negocio".

"Hombre sabio."

"Tendría que firmar algo llamado cláusula de no competencia. Significa que ya no podría hacer panecillos".

"Las cosas en las que piensan".

"Bueno, ¿crees que puedes ayudar?"

"¿Estás haciendo las rondas?"

"Eres el primero."

"No estoy seguro de que alguien pueda ayudar".

"No creo que podamos ayudar", repitió mi madre.

"Nunca se sabe a dónde pueden conducir los panecillos", dijo Fern.

"¿Sabes qué quiere hacer esta persona Chazzer después de comprarla?"

"No, pero es inteligente. No desperdiciaría dinero a menos que tuviera un plan."

No estaba seguro de si alguien podía oírme, pero dije: "Engaña al Chazzer".

Mi padre escuchó con más atención que los demás, sobre todo porque yo lo había ayudado con su escasez de abrigos. Por un lado, no quería que le diera consejos no solicitados como carrera, y mucho menos consejos poco éticos. Pero, por otro lado, mi consejo hasta ahora había sido muy útil. Mi madre no estaba segura de si estar orgullosa o preocupada y no dijo nada.

"Engañar al Chazzer", repetí.

"¿Qué está diciendo el niño? ¿Qué quiere decir?"

"No estoy seguro", dijo mi padre.

"Creo que dijo: 'Engaña al Chazzer'", respondió Fern.

"Sí, pero ¿cómo?"

"Puede que no sea una mala idea", dijo Yudel. "Quizás podríamos engañarlo haciéndole pensar que hay otro trato sobre la mesa".

"¿Cómo vas a hacer eso?"

Los cuatro adultos formaron una camarilla de lo más improbable, agregando y restando ornamentos y adornos a un esquema. Se miraron a los ojos y ensayaron el diálogo más importante hasta que sonó como la verdad. Repitieron, pincharon y enmendaron la cronología y los eventos. Cuando todos estuvieron satisfechos de que funcionaría, Fern y Yudel se levantaron para irse.

"Bueno, ya que no invertirás en la franquicia de panecillos", dijo Yudel, "¿puedes darme veinte dólares por la televisión?"

"¡Te acabamos de ayudar! ¿Eso no vale algo?"

"Bueno, originalmente iba a pedir cuarenta, pero ahora pedí veinte. Y, después de todo, no hay garantía de que este plan funcione ".

"¿Cuanto pagaste por él?"

"Quince dólares".

"Está bien, te doy doce dólares", dijo mi padre.

Tan pronto como Fern y Yudel se fueron, mi padre rebuscó debajo del fregadero de la cocina donde guardaba sus pinturas en viejos frascos de mayonesa con los pinceles erguidos en trementina. Tenía la intención de cambiar el mueble del televisor de su caoba profundo a blanco con una hoja de oro decorativa.

Fern y Yudel no le dijeron a su hijo, Jerry, la estrategia ni que él era su víctima. Unas mañanas más tarde, se acurrucaron en la tienda y susurraron en voz alta, sabiendo que Jerry los oiría. Mencionaron dos ofertas de personas anónimas por la tienda y la receta de panecillos. Una oferta era una mentira de $ 10.000. La otra, una figura más pequeña, era la del

Chazzer, y lo discutieron con practicado desdén. Esperaban que su desprecio por la insignificante cantidad diera credibilidad a la mentira. Conocían a su hijo. Cuando hacía sus rondas, Jerry se jactaría de las ofertas dobles a sus compañeros de la calle, y pronto se difundiría la voz por todo el vecindario. Por supuesto, había otros yentas clave del vecindario que serían peones ignorantes pero dispuestos a difundir la historia. Y en buena medida, agregaron al final de su susurro: "Espero que Jerry no se entere de esto y no se lo cuente a nadie".

También sabían que, si Jerry hubiera dicho la verdad, se habría jactado con orgullo de que sus padres estaban intentando una estafa.

Una semana después, el Chazzer entró tranquilamente en el supermercado y dijo: "Escuché que te ofrecieron diez mil dólares y que aceptarás ese trato".

"Tengo que conseguir el mejor trato posible. Ahora soy una persona diferente", dijo Yudel, levantando su mano mutilada.

"OKAY. Te doy diez y cinco".

"¿Y nosotros tres podemos trabajar para ti?"

"Sabes, soy un jefe horrible".

"Lo podemos tolerar".

"Está bien, diez y cinco, y ustedes tres pueden trabajar para mí. Pero no tienes decisión en nada. Yo soy el jefe. ¿*Fershtay?*

"*Fershtay*. Déjame hablar con Fern".

Yudel le indicó a Fern que se uniera a él en el frigorífico. Una vez dentro del casillero, pudieron ver sus risas materializarse en el frío. Fern y Yudel se taparon la boca para que el Chazzer no pudiera oír las risas.

"¿Deberíamos pedir doce?"

"No, no queremos exagerar la mano", dijo Fern.

Así que se demoraron unos minutos más, no queriendo parecer demasiado ansiosos. Cuando reaparecieron, Yudel extendió la mano. "Trato."

El Chazzer dijo que regresaría en un par de semanas después de que sus abogados redactaran los papeles. Sacó un fajo de billetes de su bolsillo antes de irse y le dio a Yudel unos cientos de dólares. "Aquí hay un pago inicial. No me traiciones ".

Yudel empezó a pensar en cómo iba a gastar el dinero. Iba a mudarse a una casa grande en los suburbios, probablemente Long Island. Conseguir un coche. Si pudiera balancearlo, un Buick, conocido cariñosamente en el vecindario como "canoa judía". Conseguirle a Fern un abrigo de piel y llevarla a lugares donde pueda usarlo. Intentaría convencer al Chazzer de que arreglara la tienda. Le compraría a Jerry una nueva bicicleta de reparto y una camisa limpia.

Perdido en su sueño mientras cruzaba la calle, Yudel fue atropellado por un camión de basura. No cualquier camión de basura, sino un camión de basura de una empresa privada de saneamiento. El tipo de camión que no paga sus errores y, en todo caso, pide dinero a sus víctimas para reparar la abolladura que les había dejado en el parachoques. Si Yudel hubiera sido más reflexivo, habría sido atropellado por un camión de basura de la ciudad, aunque eso significaría que la viuda, Fern, y su hijo huérfano mayor de edad habrían tenido que esperar siete u ocho años para un asentamiento minúsculo. Yudel nunca les había dado a Fern ni a Jerry la receta de los panecillos. Tampoco compraron un seguro de vida, pusieron dinero en una caja de ahorros o crearon un sistema confiable de contabilidad para el supermercado.

Yudel y Fern no pertenecían a una sinagoga y nadie recordaba el nombre ni el número de teléfono del rabino que dirigió el funeral de Rose Hips. Entonces la familia encontró uno nuevo a través de la funeraria. Nunca he visto a un rabino con un bronceado, y este tipo no fue la excepción. Su tez grisácea se fundía con su camisa blanca mal enjuagada. Como es su costumbre, el rabino reunió información de la familia y entretejió eso en un elogio. Una historia de hacer el bien, una historia divertida y, de repente, alguien es enterrado.

El rabino comenzó: "Estamos reunidos hoy para honrar a nuestro amado Judá y su adorada esposa, Sherech, y su obediente hijo, Jerónimo".

"¿Quién diablos es Sherech?" Unkle Traktor le preguntó a mi padre en un susurro.

"Significa helecho (*fern*) en hebreo".

"¿Por qué no dijo simplemente Fern?"

"Es un funeral, se supone que debe hacer que parezca más importante de lo que es".

El rabino terminó diciendo: "Durante mucho tiempo será recordado por tener dedos que olían a queso. *Omein*".

"Omein", repitieron los hombres presentes, incluidos los del barrio. A esto le siguieron las habituales conversaciones silenciosas e intercambios de condolencias. Algunos de los amigos del hipódromo de Yudel enviaron una corona en forma de herradura adornada con boletos de pari-mutuel que tenían la forma tosca de las palabras "Un ganador en el cielo". Todas las entradas presentaban marcas de desgaste que habían recogido del suelo del local de apuestas ilegales hechas fuera del hipódromo.

"Mataste a Yudel. No deberías haberle dicho que vendiera ", me dijo Tummler. Me sorprendió su comentario abrupto, que obviamente estaba albergando. Espera, pensé, solo tengo dos años. No tenían que escucharme. Pero antes de que yo dijera nada, mi padre intercedió y le dijo a Tummler que no había razón para un comentario tan idiota, y mucho menos decir tal cosa en un funeral.

La familia no solo estaba molesta por haber perdido a un pariente, sino que el restaurante cerca de este cementerio era de segunda categoría, aunque fueron de cualquier manera. Mi padre pidió su plato favorito sin denominación: tostadas francesas fritas hechas con jalá bañadas en ponche de huevo. Después de que todos hubieron pedido y lidiado con los menús de gran tamaño, mi abuela dijo: "Estaba a punto de hacerse rico. ¿Cómo es que cada vez que alguien de esta familia está a punto de tener éxito muere?"

"No, eso no puede ser cierto".

"Sí, ¿qué hay de la tía Pearl? ¿Recuerdas cuando se derrumbó justo después de obtener su diploma de trabajo social?

"Sí, iban a hacer una película sobre su vida y bam, ella muere allí mismo en el escenario del Carnegie Hall en medio de esa ceremonia de graduación".

"¿Te imaginas cómo se sintieron las otras personas?"

"Me pregunto qué pasó con ese diploma".

"Los médicos no estaban seguros de la causa de la muerte, pero probablemente era porque iba a tener éxito".

"¿O qué hay de mi hermano, Glenn?" preguntó Unkle Traktor. "Después de la guerra se coló en Wharton. Sabes que tenían una cuota contra los judíos". Cabezas asintieron alrededor de la mesa. Incluso si no lo sabían, aceptaban automáticamente cualquier cosa que dañara a los judíos. "Luego consiguió un gran trabajo en un banco porque tenía un nombre cripto-judío. Y luego su jefe le pidió que saliera en su yate. Bingo. Glenn se va por la borda y nunca recuperaron su cuerpo."

"Ese bastardo antisemita probablemente lo presionó porque no quería que un judío arruinara su yate".

"Bueno, por supuesto que a la familia no le gustó que se hubiera convertido en capitalista. Pero no debería haber muerto de esa manera ".

"¿No te gustó que se convirtiera en capitalista?"

"Sí, y no te olvides de la prima Flora".

"No es fácil. También tenemos seis mil años de éxito sobre nuestros hombros. Todos esos judíos exitosos. Haciéndolo difícil para nosotros".

"Solo nuestra suerte. Moisés, Einstein, Freud, todos judíos".

"Incluso se suponía que Colón era judío".

"Nos hacen quedar mal".

"¿Cómo puedes estar a la altura de eso?"

"Y ellos también están muertos".

"Entonces, ¿cuál es la solución?"

"No seas exitoso".

"Solo no se lo digas a nadie".

"Entonces, ¿cuál sería la diversión de ser rico?"

"Ha funcionado hasta ahora. Excepto Pearl, Glenn..."

"Y la prima Flora".

"Así que la familia está condenada".

"Él va a cambiar todo", dijo mi abuela mientras pellizcaba mi mejilla, lo que yo y todos los niños odiamos.

"Él es el que mató a Yudel", dijo Tummler.

"Le diste dinero a Yudel por su esquema fakakta de franquicia de panecillos, ¿no es así?" mi padre dijo.

"Puede que sí."

"¿Qué vas a hacer con los cinco dólares que te debe?"

"Pedirlos de vuelta".

8

TACÓN DEL PAN

"Yo también me estoy muriendo", dijo Tummler.

Nos reunimos en el patio unas seis semanas después de la muerte de Yudel. Fern, por supuesto, apareció, pero Jerry no pudo venir. Tenía que ocuparse de la tienda, a pesar de que habían contratado a un chico del vecindario para ayudar. Mi abuela preparó una comida completa cuando escuchó que mi padre traía su hibachi y carbones. La tía Georgia y mi madre ayudaron a mi abuela mientras Muriel se sentaba afuera, fingiendo holgazanear en la playa. Mi abuelo hacía lo que hacía dentro de la casa: escuchaba.

Unkle Traktor trató de enseñarme a pronunciar Dostoievski y Chernyshevski. Tuve problemas para decirlos correctamente, pero me di cuenta de que los errores intencionales o no intencionales podrían traer beneficios. Los funcionarios de la isla Ellis habían recortado los nombres polisilábicos de mis abuelas a su llegada de Rusia. Como ninguna aspiraba a ser escritora ni revolucionaria, este cambio probablemente facilitó su asimilación y minimizó el abuso.

"¿Qué pasa con el sostén?" Muriel le preguntó a Fern.

Desde el momento en que Fern dejó de sentarse shiva, usó su sostén de bala continuamente, dejando marcas de estuche en ella como las de un caparazón gastado.

"Y tu lápiz labial es del color de la mierda".

"Aquí están los veinte dólares que le debía a Yudel por la televisión", dijo mi padre, pasándole el dinero a Fern.

"¿Qué quieres decir con que te estás muriendo?" Alguien dijo.

"Estoy muriendo."

"Ya dijiste eso. ¿De que?"

"No lo sé todavía".

"Solo quieres atención".

"No, lo leí en un artículo".

"¿Qué artículo?"

"Lo leí en una revista en el consultorio del médico".

"¿De qué año era la revista?"

"No sabía que la mierda para los cerebros era terminal".

"Me estoy muriendo y estás haciendo bromas".

"No estoy haciendo bromas. Te estoy dando una segunda opinión".

Tummler y Muriel habían traído a sus hijos, Jane, de dieciséis años, y Skippy / Basil, de ocho. Era difícil saber cuál fue el error. Los dos niños parecían haber salido de dos úteros diferentes. Jane emitía luz y esperanza, mientras que Skippy / Basil apagaba esa misma luz. Jane siempre me traía un pequeño regalo y nunca me dijo que fuera un genio. Skippy / Basil siempre quería ver qué tan afilados eran los cuchillos de mi abuela.

Muriel nombró a sus hijos por personajes de películas que amaba. Amaba a Tarzán y, por tanto, a Jane. Todos estaban agradecidos de que le agradara más la heroína que los chimpancés. Basil vino de Rathbone y las películas de Sherlock Holmes. Pero el nombre, por supuesto, se convirtió en objeto de burla en la escuela, y pronto declaró que era Skippy. Por qué Skippy era un misterio para todos.

Mi padre y su primo hermano, Murray, eran cercanos cuando eran niños y habían asistido a las mismas escuelas públicas y secundarias. Cuando Murray comenzó a trabajar como tummler, insistió en que la gente debería llamarlo así. Pero en la etiqueta de los apodos, se supone que no debes darte tu propio apodo. Al principio, todos continuaron llamándolo Murray, pero finalmente accedieron a Tummler bajo su constante insistencia.

La función principal de un tummler es hacer reír

a los huéspedes y crear un caos desvergonzado, indignante y demasiado personal en los hoteles judíos de las montañas Catskill. Los objetivos más importantes eran aquellos que parecían no estar pasando un buen rato. La gerencia quería y necesitaba que todos se divirtieran, incluso si era forzado. Cuanto más divertido es el tummler, mejor es el hotel, y cuanto mejor es el hotel, mejor es el tummler. A los tummlers se les pagaba unos pocos dólares a la semana más alojamiento y comida, pero lo más importante es que los Catskills eran un lugar para perfeccionar su oficio.

Tummler trabajó algunas temporadas en el poco conocido Bubby's Bungalow Bar. Los bungalows también se conocían como *kuchaleins* o cocínate-tu-mismo, una buena oferta para familias con un presupuesto limitado. Bubby's era un híbrido que ofrecía kuchaleins y privilegios de comedor. Cuando agregó los servicios de un tummler, Bubby's se vio a sí mismo como un gran hotel.

La piscina de Bubby's estaba a solo unos centímetros de la carretera. Había algunos que creían que una vez un automóvil se había salido accidentalmente de la carretera y se había caído al agua, y luego fue sacado con un colador de piscina. Y había una historia de que los dedos de uno de los invitados que salía de la piscina fueron atropellados por un automóvil que iba a toda velocidad y que nunca disminuyó la velocidad ni se detuvo. Tummler usaba esa historia para decir que el conductor estaba borracho, era un "hit y ron".

Tummler le pidió a mi padre que viniera a trabajar con él. "Hay chicas de todo tipo".

Un año, mi padre finalmente se fue con él a trabajar como camarero. Pero el ritual de ver a los judíos comer tres comidas al día, siete días a la semana durante dos meses casi lo hizo convertirse a cualquier religión que no se preocupara por la comida, o al menos una que no deseara consumir mollejas de pollo frito, lengua y kishka. Mi padre nunca regresó.

Tummler robaba chistes. Desafortunadamente, no tenía el sentido común para robar los buenos. Era como un ladrón de joyas incompetente que no podía distinguir entre pasta y diamantes.

"Camarero, este plátano está blando. ¡Pues dígale que se calle!".

"Señora, su vuelo viene demorado. ¡Qué emoción, es mi color favorito!"

Bubby's no podía permitirse un baterista para un golpe de aro, por lo que Tummler gritaba "Hey" al final de cada broma, la señal para reír. Los sábados por la noche, si el cómico programado y mejor pagado moría o recibía una oferta mayor, Tummler lo cubría.

La tradición cómica en los Catskills era contar casi todo el chiste en inglés hasta el final. Eso se decía en yiddish, especialmente si era sucio. Esto volvería locos a la primera generación de niños estadounidenses. Tummler, sin embargo, no hablaba yiddish con fluidez y soltaba sus remates en inglés, pero como un turista estadounidense que le grita a un francés con la grosera esperanza de que otros lo entiendan debido al volumen.

Durante el invierno, frecuentaba la cafetería de Kellogg en la Cuarenta y Nueve y la Séptima Avenida, un lugar donde otros cómicos intercambiaban chistes e historias. Tummler trataba de almacenar los chistes que escuchó allí de la misma forma en que las ardillas llenan sus mejillas con nueces. Pero los otros cómicos conocían a un ladrón cuando veían uno y guardaban sus mejores chistes para los días en que él no estaba.

Para aumentar la incomodidad de Tummler, también había una empresa en Nueva York llamada Bungalow Bar que vendía helados en camiones. Como pervertidos, los camiones se estacionan cerca de las escuelas durante el día o patrullan las calles en busca de niños. A su vez, los niños se burlarían de los conductores cantando:

Bungalow Bar
Sabe a alquitrán
Cuanto más comes
Tanto más enfermo estás

Cada vez que Tummler hablaba de los Catskills, mi padre cantaba la cancioncilla solo para molestarlo.

Por supuesto, era infantil, pero eso era lo que lo hacía efectivo.

Tummler soñaba con hacer algo que requiriera que fuera divertido. Desafortunadamente, tenía un trabajo de tiempo completo para la ciudad de Nueva York en la Junta de Normas y Apelaciones. Era una agencia oscura cuyos principales requisitos eran llevar un cárdigan deshilachado y manchado y resistirse a cualquier idea razonable.

Mientras mi padre trabajaba con sus hamburguesas en el hibachi, los demás prepararon una mesa plegable para la comida de mi abuela. El favorito de todos eran sus latkes de papa. Su sopa del domingo fue recibida con temor. La familia sospechaba que los ingredientes eran lo que ella barrió del piso de lunes a sábado y luego ahogó en agua hirviendo.

Mi padre se tomó un descanso de la parrilla para comer algo, sabiendo que aún faltaban días para que las hamburguesas estuviesen listas. Arrancó el talón del pan de centeno del extremo con la pequeña pegatina de unión y tomó un poco de hígado picado. Los panaderos del sindicato pegaron un trozo de papel blanco al pan húmedo para indicar quién lo hacía, pero las palabras siempre estaban quemadas y nadie sabía exactamente lo que decían.

"Quería ese tacón", dijo Tummler.

"Bueno, no dijiste nada".

"Sabes que siempre como el talón".

"No llevo un registro de qué parte del pan comes".

"Simplemente arranca el otro extremo".

"¡No hagas eso!" dijo mi abuela. "Se volverá rancio por ambos extremos".

"¿Así que prefieres que peleen?" preguntó mi madre.

"Es mejor que el pan no esté rancio por ambos extremos".

Con el tenedor, Tummler trató de arrancar el pan de la mano de mi padre y dejó cuatro pequeñas hendiduras alrededor de los nudillos. Mi padre dejó caer el pan y tomó un cuchillo de plástico. Hizo una pose como para desafiar a Tummler a un duelo. Pero Tummler ignoró la finta y aprovechó la oportunidad para recoger el pan caído con el hígado picado y se lo comió todo.

"¿Qué clase de salvaje eres?" preguntó mi padre.

"Del tipo que no acepta a tu hijo", respondió Tummler.

Como parte de la ceremonia de ese día, se suponía que me entregarían a Tummler y Muriel para mi primera administración con ellos.

"Tienes que llevar al niño".

"Nunca estuve de acuerdo con las reglas".

Tummler tenía razón. Mi abuela nunca redactó un contrato formal. No hubo negociaciones. Nunca hubo votación. Se suponía que todo el mundo había aceptado, si se veía únicamente a través de las estrechas rendijas de los ojos de cada individuo.

"Tenemos una crisis constitucional aquí", dijo Unkle Traktor.

"No me importa. Nunca accedí a nada. No me llevaré a ese niño".

"Ves. ¡Te lo dije! Tenemos una crisis constitucional".

"No me importa lo que digan o hagan los demás. No me llevaré al niño".

"Ven conmigo", le dijo mi abuela a Tummler, sin poder agarrarle la oreja. Usó la voz que usaba para los niños de ocho años.

No protestó y ambos subieron penosamente las escaleras oscuras hasta el apartamento de mis abuelos.

"Siéntate ahí", dijo. Tummler obedeció. Mi abuela entró en su habitación, cerró la puerta con llave y sacó un taburete, rebuscó en el estante superior de su armario, encontró la caja con las letras RGDF escritas con crudeza en el costado y deslizó su mano debajo de los zapatos y el pañuelo para recuperar algo de dinero.

"Aquí tienes veinte dólares. Ahora toma al niño y cállate. Y no le digas a nadie que te di esto. Especialmente a Muriel".

"Cincuenta", dijo Tummler.

"Cuarenta."

"OKAY." Y repitió los pasos para recuperar más dinero.

Se deslizaron por la tenue escalera de regreso a la luz para unirse a los demás. Tummler anunció: "Me llevaré al niño. Pero solo para una prueba de noventa días".

"No es una aspiradora".

"O son noventa días o nada".

"¿Estás seguro de que no lo quieres por más de noventa días?" dijo mi abuela. Ella estaba molesta y miró a Tummler. Pensó que había comprado al menos un año de paz.

"No, noventa días. Tómalo o déjalo." Al menos mi abuela evitó una crisis constitucional.

"Y no olvides traerlo de vuelta en el empaque original".

Afortunadamente, los noventa días pasaron rápido. Tummler estaba constantemente molesto. Muriel nos trató a Jane, Skippy / Basil y a mí de la misma manera que un viejo tren correo engancha una bolsa de cartas al pasar. Si tuviera alas, Skippy / Basil las habría arrancado alegremente. Y Jane trató de protegerme de todo.

Si bien este breve período fue una gran prueba temprana de mi estoicismo, todavía tenía una deuda con los griegos y romanos. El control y equilibrio en el gobierno fue idea suya, aunque estoy seguro de que el soborno nunca fue parte de la ecuación. Al menos eso es lo que sugieren los textos supervivientes.

9

EL DILEMA DE LA ÚLTIMA PAPA FRITA

Unkle Traktor quería estar en la lista negra. Necesitaba estar en la lista negra. Sería la afirmación del trabajo de su vida como organizador laboral, manifestante entusiasta, panfletista y consejero en Camp Kinderland, cuyo lema era "Campamento de verano con conciencia desde 1923". Excepto que no pudo.

El sonido de los encendedores Zippo abriéndose y cerrándose resonó en la cabeza de Unkle Traktor desde las miles y miles de reuniones a las que había asistido, todas con gran sinceridad e intensidad intelectual. Las cicatrices de haber sido golpeado por la policía y empujado por otros manifestantes habían desaparecido, pero Unkle Traktor deseaba que permanecieran. Había sido miembro de tantos grupos disidentes trotskistas que nunca se molestó en plastificar sus tarjetas de afiliación. La menor provocación o cambio filosófico provocaba una ira inconmensurable y una nueva facción. A veces, parecía que había más organizaciones que participantes. Actualmente, era miembro suplente del Comité Central de Socialistas por Verdadera Democracia (SVD).

Mientras tanto, se difamaba a inocentes con insinuaciones y mentiras, y se destruían las vidas de otros marxistas, comunistas y compañeros de viaje. Sin embargo, Unkle Traktor permaneció inmaculado. La tía Georgia no compartía su obsesión y su relación desafiaba la lógica y el dogma.

Unkle Traktor provenía de los edificios de apartamentos cooperativos del Bronx llamados Coops (como gallineros). Fueron construidos por sindicatos y organizaciones judías para proporcionar una vivienda digna a los trabajadores y celebraban sus reuniones de directorio en yiddish. Los adultos solían ser apolíticos. Sus hijos quienes eran los activistas. La policía llamó a las Cooperativas "Pequeño Moscú" porque la disidencia social y política crecía como un kudzu urbano.

Allí, en los sótanos, salas de juegos, guarderías, bibliotecas y salas de reuniones, Unkle Traktor aprendió a no mostrar emociones, salvo su pasión por corregir la injusticia social y su lealtad a sus verdades incontrovertibles y a los demás que abogaban por las mismas verdades incontrovertibles. Además de perfeccionar las habilidades para debatir y organizar, el fumar empedernido era imperativo. Inclinar un cigarrillo y la cabeza en el ángulo adecuado transmitía una hosca seriedad, perfeccionada por Sartre y Camus.

Durante y después de graduarse de la escuela secundaria, Esther, el verdadero nombre de la tía Georgia, trabajó en Ohrbach como vendedora. Los bajos salarios y las malas condiciones laborales provocaron una huelga, considerada la primera huelga de trabajadores de cuello blanco en Estados Unidos. La belleza de la tía Georgia la convirtió en el rostro del motín, y su foto aparecía a menudo en los periódicos. Unkle Traktor era uno de los organizadores del sindicato y se acercó a ella para que pudieran planificar el "negocio de los monos". No es ese tipo de negocios de monos, sino tácticas de ataque como darles a los niños globos que dicen: "No compre en Ohrbach's" junto a la puerta principal de la tienda, o hacer que los empleados suelten ratones en los pasillos de los grandes almacenes para asustar a los clientes, lo que, lamentablemente, también asustaba a los empleados.

La tía Georgia se sintió atraída por la intensidad, el intelecto y la determinación de Unkle Traktor. Esto contrastaba profundamente con la conflictividad de su familia basada en los bigotes y el pan rallado. Al principio, no se dio cuenta de que los trotskistas eran similares a los eruditos talmúdicos, en su mayoría hombres segregados por su dogma autoimpuesto. Usando sus textos sagrados, ambos grupos decidían qué era lo mejor para los demás, y ambos siempre estaban envueltos en cismas que le importaban poco al resto del mundo. Ambos argumentaban sus diferencias con una persistencia y precisión irracionales. Y ambas sectas tenían aversión al aire libre, en particular al sol, lo que resultaba en su parecido con las ratas topo.

La familia de Unkle Traktor dio la bienvenida a su noviazgo inesperado e inusual con la tía Georgia. Pensaron que ella podría moderar su celo. La familia de la tía Georgia estaba feliz porque Unkle Traktor llenaba la cuota no escrita de que toda familia judía de Nueva York que se respete a sí misma debe tener al menos un radical en su grupo del que puedan jactarse de una aceptación incómoda. Preferiblemente en la misma oración. Sin embargo, había que evitar a dos de la misma familia y tres casi suplicar una redada o una investigación.

El defecto de la tía Georgia era su belleza, demasiado llamativa para ser una intelectual o una hereje pertinaz. Y aunque se había criado en una hilera de ferrocarriles con camas apiladas en la clase trabajadora de Brooklyn, Unkle Traktor temía que sus camaradas lo juzgaran superficialmente y pudieran concluir que sus creencias políticas se habían diluido por el sexo o alguna otra necesidad humana real o imaginaria. Para ayudar a desviar estos temores, animó a la tía Georgia a estudiar los principios del marxismo de una manera precaná.

Por supuesto, sus estudios no cambiaron su apariencia y, finalmente, Unkle Traktor le pidió a Esther que cambiara su nombre. Inicialmente, la solicitud la sobresaltó, pero estuvo de acuerdo con dos salvedades: una, solo ella podía elegir su nuevo nombre y dos, que él hiciera algo completamente contrario a su personalidad: trabajar para una empresa que se anunciaba en cómics. Después de pensarlo un poco, aceptó un trabajo en una fábrica que fabricaba pollos de goma, gafas de rayos X, trampas para dedos chinos y otros artículos inútiles. Justificaba esto como parte de los medios de producción que crea diversión para las masas. En cuanto a Esther, eligió el nombre de "tía Georgia", una referencia irónica y molesta al lugar de nacimiento de Stalin y un recordatorio del desastroso Pacto Molotov-Ribbentrop de 1939.

Para moderar la selección del nombre de la tía Georgia, Unkle Traktor impuso un plan de amor de cinco años, con fechas límite y cuotas. Como en la historia, Unkle Traktor pensó, pero no dijo, que podía cambiar los plazos y cuotas según fuera necesario. No son los rituales de apareamiento habituales. Esto resultó en separaciones repetidas, generalmente antes del Primero de Mayo, cuando la planificación de eventos públicos era abrumadora.

La tía Georgia y mi madre pensaban que el verdadero problema entre ellas era el insoportablemente largo viaje en metro entre el Bronx y Brooklyn. The Coops, ubicado en el Bronx, el único distrito de la

107

ciudad de Nueva York unido a los Estados Unidos, se encuentra al norte, mientras que Brighton Beach se encuentra al sur en el empeine de la ciudad. Sin importar la atracción o la seducción, la geografía puede ser un tema más importante que la religión, la raza, la ideología o la libido. Además del debate Yankees-Dodgers o de comparar Orchard Beach con Coney Island, la gente incluso odiaba cómo se nombraban, numeraban y ordenaban las calles de los otros condados, lo que puede parecer irracional para cualquiera que no sea neoyorquino.

Durante la huelga de Ohrbach, un artículo de periódico mencionaba que la tía Georgia había sido campeona de natación en la escuela secundaria, e incluía una foto de ella rodeada de sus trofeos. Señalaba que también era una bailarina ingeniosa, una cualidad muy admirada en ese momento. Un agente de talentos pensó que podría ser perfecta para una película de Esther Williams y la contactó. En ese momento, estaba con Unkle Traktor, y la probabilidad de convertirse en algo más que un extra, incluso uno con el talento necesario, parecía remota. Pero durante una de sus muchas rupturas, se puso en contacto con el agente. Además de la familia, había pocas cosas para retenerla en Nueva York. Tenía muchos otros pretendientes, pero en su mayoría eran vendedores de zapatos y aspirantes a contables. Trabajadores de confianza, los llamaba.

Naturalmente, la familia temía que el agente de

talentos fuera un depredador sexual o, peor aún, legítimo. Esto precipitó una reunión familiar de emergencia donde, como de costumbre, cuanto menos sabían sobre un tema, más fuerte discutían.

"¿Ves lo que pasa cuando vas a Hollywood? Intentaron convertir en española a una buena chica judía como Rita Hayworth".

"Rita Hayworth es española, mamá", le dijo mi madre a mi abuela.

"Eso es aún peor", dijo mi abuela.

"Y mira lo que le pasó a Fatty Arbuckle", agregó Tummler, bebiendo una Coca-Cola.

"Eso fue hace más de treinta años", dijo mi padre.

"Bueno, así de malo fue".

"Leí que Maureen O'Sullivan tuvo sexo con Cheetah durante las películas de Tarzán".

"Sexo. Siempre es sexo contigo, Fern".

"Ella era una fanática de los simios que pueden voltearse hacia atrás", dijo Tummler.

"Bueno, si vas a Hollywood y te casas con un goy, asegúrate de que sea Clark Gable".

"Finalmente, un consejo sensato".

La tía Georgia se fue a Hollywood para convertirse en una estrella del cine. La vida para ella era difícil entre películas. La parte fácil fueron las historias que la familia inventó para llenar el tiempo. Muriel estaba convencida de que estaba lidiando con todos los hombres y era una habitual en las fiestas libertinas de Hollywood. Unkle Traktor le escribió a la tía

Georgia y le pidió que lo visitara. Cuando ella se negó, no hizo más que avivar la discusión de que era lesbiana, adicta a las drogas o la próxima Betty Grable.

La tía Georgia escribió que iba a aparecer en una próxima película de Esther Williams programada para estrenarse en Navidad en el Radio City Music Hall. Esta fue una coincidencia perfecta. Además de la partida de Tummler y Yudel para salvar el mundo en el Pacífico durante la Segunda Guerra Mundial, una visita ocasional a los Catskills y la necesidad de ir a trabajar, la familia rara vez se aventuraba fuera de su capullo judío en Brooklyn. La excepción era su salida anual para ver la extravagancia navideña en Radio City. Curiosamente, este evento anual tuvo que ver en las frecuentes rupturas de la tía Georgia y Unkle Traktor.

Una vez, durante el período maleable temprano de su relación, Unkle Traktor acompañó a la tía Georgia y a la familia al ornamentado teatro. Inmediatamente después de entrar al vestíbulo, Muriel gritó: "Asegúrense de ir al baño. Son hermosos". Unkle Traktor temía que uno de sus compañeros de unión, que trabajaba allí, la hubiera escuchado, y que su posición dentro de la ETS podría verse comprometida si se percibiera que la tía Georgia y los accesorios del baño eran más importantes que su lealtad al grupo. Aunque una vez dentro del baño, quedó fascinado por las contradicciones de la decoración. Los urinarios se colocaban en las paredes enfrentadas, formando un guante para los hombres con necesidades inmediatas, mientras que la antesala era un elegante ejemplo de art deco. Se guardó sus observaciones para sí mismo, sin mencionarlas a nadie, incluida la tía Georgia. Unkle Traktor también estaba consternado de que la familia apostara sobre qué animal cagaría primero en el escenario durante el espectáculo. El dinero inteligente siempre estuvo en los elefantes. Por supuesto, el desorden se limpió antes de que las Rockette salieran para su rutina de baile de patadas altas.

La familia trató de actuar de manera sofisticada y contenida en anticipación de ver la película de Esther Williams, pero mi padre se limpió los zapatos dos veces y Muriel contó las entradas innumerables veces. Llegando al teatro dos horas antes de que se abrieran las puertas, corrieron a elegir los asientos perfectos y comieron dulces que escondieron en sus bolsillos y carteras mientras esperaban ansiosos. A la mitad de la película, el rostro de la tía Georgia finalmente llenó la pantalla por un breve momento antes de que, con gracia, pero secuencialmente, se inclinara hacia la piscina con los otros nadadores. La familia aplaudió y vitoreó. Pero cuando nadaron sincronizados, la tía Georgia se convirtió en otro par de pies.

Abrumada por el orgullo y el temor de que los extraños no supieran quién era ella, mi abuela se puso de pie de un salto y gritó: "¡Ésos son los pies de mi hija! ¡Esas son sus piernas! Miren la pequeña cicatriz junto a su rodilla". Años más tarde, cuando las películas se volvieron a emitir en la televisión, la familia todavía gritaba cuando reconocían a la tía Georgia y sus piernas, para disgusto de Unkle Traktor, quien consideraba las piernas desnudas como amantes del pasado, algo que él no quería discutir ni reconocer.

Después del espectáculo, la familia, en masa, se dirigió a Chinatown para comer. Todos creían que el combo número siete (sopa de huevo, costillas, arroz frito y un rollo de huevo) era el mismo en todos los restaurantes chinos. Para ellos tenía sentido que, si los camareros no hablaban inglés, tener el mismo número siete en todas partes en Chinatown facilitaría las cosas. Antes de pagar la cuenta, abrieron sus galletas de la fortuna y agregaron "en la cama" al final de cada dicho. Luego cruzaron la calle para visitar la sala de juegos para ver primero al pollo bailando, y luego alguien se ofrecía como voluntario para ser humillado al perder contra el pollo que juega al tic-tac-toe.

Cuando el dinero limitado, la fama y las perspectivas de la tía Georgia se evaporaron, regresó a Nueva York. Se encontró con Unkle Traktor en un mitin para escritores y actores en la lista negra, algunos de los cuales la tía Georgia ahora conocía o pensaba que conocía, y su versión del romance se reavivó.

Se casaron en una ceremonia civil en el segundo piso del edificio Muni decorado con ventanas rayadas y un piso de baldosas con cicatrices. La familia estaba rodeada por una docena de novias con vestidos blancos junto a novios con esmoquin. Unkle Traktor, sin embargo, vestía un traje comprado y confeccionado en Orchard Street, mientras que la tía Georgia usó el descuento de empleado de Ohrbach en un vestido, bolso y zapatos.

Después de la ceremonia, todos tomaron el metro hasta el Bronx para disfrutar de un almuerzo buffet en una de las salas comunitarias sin ventanas de Coops. La entrada al edificio mostraba audazmente un friso de yeso de hoz y martillo.

En el interior fueron recibidos por una variedad de antiguos vecinos con los que habían crecido y todavía sentían cierta afinidad. El olor a humedad del sótano mezclado con el aroma de pastrami, ensalada de papas, mostaza y pepinillos amargos.

"Mira", dijo Muriel, "Traktor está con su madre. Veamos cómo la trata. Ya sabes lo que dicen: puedes saber qué tipo de marido va a ser alguien por la forma en que trata a su madre".

"¿Por qué, crees que él shtup a su madre?" Preguntó Yudel.

"Eso es asqueroso. Eso no es lo que quise decir."

"Eso fue lo que dijiste. Y eso es lo que hacen las personas casadas. Shtup".

"Quizás eso es lo que se merece. ¿Qué tipo de madre hace un comunista?

"Irás al infierno".

"Los judíos no creen en el infierno".

"Bueno, te vas a alguna parte".

Mi abuela había insistido con una banda. "Y si los comunistas no quieren bailar, no tienen por qué hacerlo", declaró. Pero una vez que los músicos comenzaron, ambos grupos se unieron para bailar el *kazatsky*. El acercamiento se había logrado tácitamente. Un miembro de la familia y un miembro del grupo bailaron uno frente al otro con patadas rápidas y verdaderas con las piernas y luego entrelazaron los brazos, espalda con espalda, el equilibrio y la fuerza combinados les permitieron empujes más extravagantes y poderosos. Se produjo un breve estallido cuando los bailarines diferían en la ortografía y pronunciación correctas de *kazatsky, kazatski, kazatska*. Pero cuando los invitados estuvieron de acuerdo en que una boda era su propia forma de evento político, fingieron agradarse unos a otros. Fern cantó con la banda, pero a un lado; intimidada por sus reglas sindicales y su experiencia, temía que no la dejaran cantar con ellos.

Unas pocas noches después de su luna de miel, fui galardonado con Unkle Traktor y la tía Georgia. Estaban emocionados. Me convertí en una insignia de orgullo para la tía Georgia y un nuevo cerebro que lavar para Unkle Traktor. Yo fui su gran experimento.

Desafortunadamente, no estaban bien educados en la crianza de los hijos. Querían que llamara a mis amigos imaginarios "Marx" y "Lenin" y usara mis nacientes habilidades matemáticas para verificar las cifras de producción. Con el tiempo, tuve que entrenarme para ir al baño, lo que es cierto que fue algo atrasado para mi edad. Algo sonaba vacío sobre elogiarme por un logro tan pequeño. Tantos pasos en falso.

Unkle Traktor todavía no había abandonado su sueño de ser incluido en la lista negra. Por las tardes, algunos de sus amigos venían a discutir el estado del mundo y hablar de la próxima revolución que nunca llegaría. Y se preguntaban una y otra vez por qué el marxismo nunca se afianzó realmente en los Estados Unidos. Algunos pensaban que era porque se trataba de un concepto extranjero con nombres extranjeros, lo que llevó a revoluciones extranjeras, que inevitablemente desembocaban en dictaduras. Enemigos de Estados Unidos. Enemigos del capitalismo.

Los anarquistas italianos eran, por supuesto, extranjeros. Los objetos de los Palmer Raids eran extranjeros. Muchos estadounidenses olvidaban y temían su propio pasado de inmigrantes. Unkle Traktor pensó que la ETS necesitaba presentar algo menos amenazante, más agradable. Más americano. Crear una declaración simple, lo suficientemente reflexiva para explicar los principios básicos. Lo suficientemente emotiva para hacerlo atractivo, lo suficientemente breve como para mantener la atención de todos sin mencionar el marxismo directamente. Quizás comida. Por supuesto, hay alimentos que hablan más de ser estadounidense. El hot dog, la sandía y la tarta de manzana, pero quizás eran símbolos trillados.

Escuché estas discusiones en lo alto del televisor que Yudel le había dado a la tía Georgia y Unkle Traktor. En esas noches en las que aparecía compañía, se tapaba el televisor con una enorme tela decorativa para que pareciera lo más inútil posible para que sus compañeros no pensaran que estaban realizando actividades burguesas. Finalmente, una noche dije: "Papas fritas. ¿Quién se queda con la última papa frita?"

Hubo silencio en la habitación hasta que Unkle Traktor entendió lo que sugería.

"Si. Al compartir papas fritas y queda una, ¿quién la recibe? Es una analogía perfecta para el marxismo. ¿Cómo decides quién la recibe? ¿Cómo la dividimos? ¿Deberíamos compartirla? ¿Quién la necesita más? ¿Qué es más americano que las papas fritas? A pesar de que se llaman papas francesas. Podemos llamarlo 'El dilema de la última papa frita'".

Los camaradas de Unkle Traktor casi se animaron. Los dedos de los pies se levantaron del suelo, los codos ligeramente elevados de los brazos de las sillas seguidos de las obligatorias justificaciones, matices y reconocimientos de la contribución de cada uno.

Casi todas las noches, los desacuerdos y enojos llenaban la habitación que ocupaban. Las palabras tranquilas y sin importancia dichas en el pasado se convierten en dispositivos incendiarios del presente y los temas olvidados hace mucho tiempo se convierten en obstáculos infranqueables. La convención dictaba que el volumen y el divagar ganaron el momento. Y el sentimiento abrumador: el síndrome Mártir-Estocolmo, donde las seis personas enojadas y despreciadas que hacen todo en una organización y se resienten con todos los demás, creen que sus ideas valen más que las de los demás porque aparecen todo el tiempo, incluso las noches y los fines de semana.

"Sí, las papas francesas son comida de todos. Incluso tienen un nombre extranjero asociado con algo placentero".

"Y ciertamente no es una amenaza".

"Creo que se desvía de las enseñanzas estándar", dijo el conspirador más viejo y pálido.

"Pero ese es precisamente el punto. ¿Qué tan exitosos hemos sido? Si actuamos como forasteros, siempre seremos forasteros".

"El éxito no debe medirse por números, sino por cómo nos medimos a nosotros mismos".

"Aquí hay una regla de quince centímetros".

"Deberíamos producir un tratado. O, al menos, un volante", dijo Unkle Traktor. "Debemos transmitir la urgencia y la importancia, como Marx y Engels, pero sin crear una parodia".

"Deberías usar un francés en minúsculas, para que no parezca tan extranjero".

"No hay francés en minúsculas".

Incluso cuando tenía cuatro años, me di cuenta

de que hay pocas cosas tan peligrosas como los que actúan desde la rectitud filosófica, moral o política. Ellos son los que cambian el mundo y rara vez para mejor. Y aunque no quería ser un polemista o cómplice de una ofensa punible, todavía quería que Unkle Traktor tuviera éxito, así que ofrecí sugerencias útiles una vez que los demás se fueron."

Durante semanas después, Unkle Traktor jugó con la redacción de su volante y yo escuché mientras leía cada versión. Estaba claro que lo que era importante para él no lo era para los demás. Un borrador incluía referencias históricas a los incas adorando la papa y otro a Alemania, donde una vez alimentaron solo con papas a animales y prisioneros. En otro momento incorporó a Sir Walter Raleigh, quien regaló patatas a la reina Isabel e incluyó al señor Cara de Patata para suavizar el tono. No es irónico que Unkle Traktor y la tía Georgia comieran principalmente comida blanda y almidonada, un reflejo de sus creencias. Pero una noche, cuando accidentalmente golpeé mi comida sobre su trabajo y oscurecí gran parte de la escritura, entendió lo que necesitaba. Menos. Y con algunos cambios gramaticales, estaba listo.

¿Quién debería comerse las última papa frita?

Cuando compartes un plato de papas fritas, nadie presta atención a quién comió más.
Nadie presta atención a quién se comió las grandes.
¿Quién se comió las pequeñas?
HASTA QUE SOLO QUEDE UNA PAPA FRITA.
¿Quién debería comerse la última papa frita?
Llámanos.

Incluyó el número de teléfono de STD en la parte inferior, omitiendo deliberadamente el nombre completo.

"¿Eso es todo?" Preguntó la tía Georgia.

"Si. Quieres algo de misterio. Quieres tentarlos para que hagan preguntas. Y no queremos alienarlos al principio".

"Pero eso podría ahorrarles a todos algo de tiempo", dijo la tía Georgia.

"Algún día escribiré el tratado completo", dijo Unkle Traktor.

Los sábados y domingos de julio y agosto, Unkle Traktor, la tía Georgia, algunos de sus amigos radicales y yo distribuimos copias de del volante de 'El dilema de la última papa frita" en la parada de metro de Stillwell Avenue, el portal del trabajador a Coney Island. Cada fin de semana esperaba con ansias estar de pie debajo del letrero que colgaba sobre las escaleras del metro, un vestigio de la Segunda Guerra Mundial que informaba a los bañistas, "No estás en un área de bombardeo", y esto a solo dos cuadras de la arena.

En medio del calor del verano, con los dedos oliendo a la emulsión de aceite de ricino de la máquina de mimeógrafo, nos vestimos con pantalones largos y camisas con cuello. Ese 4 de julio, se estima que un millón de personas llegaron a la playa. Me animaron a sonreír mientras repartía los volantes, pero a no decir nada. El silencio es mucho más lindo en un niño de cuatro años, y si les decía lo que pensaba, pensaban que sería una distracción.

Había poco interés en la política ya que la gente venía a Coney Island para comer, beber, comerse con los ojos, pelear, tomar el sol y encontrarse con el sexo opuesto. A fines del verano, el proyecto de Unkle Traktor fue tan infructuoso que fue expulsado de STD y perdió su trabajo en la fábrica de pollos de goma. Me sentí horrible y algo responsable. Unkle Traktor y la tía Georgia estaban tan disgustados con las maquinaciones de la política que volvieron a Morty y Esther. Por supuesto, inadvertidamente los llamaba de manera diferente en diferentes momentos. Sus vidas se convirtieron en un extraño anuncio de boda en el que ambos necesitaban un nombre de soltero antes de sus nombres.

El Día del Trabajo de ese año, un hombre bajito con una sonrisa amable se acercó al tío Morty y le tendió la mano. "Soy Nathan Handwerker", dijo, "y quiero agradecerles por seguir con mi negocio este verano".

Nathan, junto con su esposa Ida, fundaron Nathan's Famous, el famoso emporio de perritos calientes. Continuó: "No estoy seguro de lo que está vendiendo, pero están comprando mis papas fritas. Un tipo me dijo que odiaba a los comunistas y a De Gaulle, pero que de todos modos amaba mis papas fritas".

El tío Morty se sintió humillado y orgulloso a la vez y logró un "Gracias".

"De una manera extraña, me recuerdas a mí hace años", dijo Nathan. "Cuando abrí Nathan's por primera vez, la gente pensaba que las salchichas eran malas para la salud. Así que vestí a los hombres con batas de médico para repartir muestras gratis. Pero mi idea de *meshugga* funcionó. Ven conmigo. Y trae a tu pandilla para algunas salchichas, papas fritas y bebidas gratis".

Nathan le ofreció al tío Morty un trabajo como cortador de papas fritas, y rápidamente se abrió camino hasta convertirse en un freidor extraordinario. Si observaba los freidores, rara vez levantaban la cabeza o miraban a los clientes. De alguna manera, todas las papas fritas estaban perfectamente crujientes por fuera y tiernas y ardientes por dentro. Para completar un pedido, Morty y todos los freidores pinchaban dramáticamente cada pedido con horquillas diabólicas de madera de dos dientes, siempre a dos bocados de astillarse en la boca. No había necesidad de sal, ya que los freidores se enjugaban la frente y el sudor se esparcía por donde debía. Nathan le permitió al tío Morty colgar una copia enmarcada de "El dilema de la última papa frita" sobre su freidora. Había encontrado la vocación de su vida.

Pero hubo otras consecuencias. El Comité de Actividades Antiamericanas de la Cámara de Representantes me convocó a comparecer ante ellos para ser interrogado sobre "El dilema de la última papa frita". Yo también tuve que bajar a Orchard Street para que me adaptaran un traje. Por lo general, el primer traje que recibe un niño judío es para su bar mitzvah, pero no yo.

Cuando el sastre comenzó a medir mi entrepierna, preguntó: "¿Y a dónde vas, *boychik*?"

"A Washington, DC, para testificar ante el Comité de Actividades Antiamericanas de la Cámara".

"Aquí tienes un chico divertido e inteligente", les dijo el sastre al tío Morty y la tía Esther. Simplemente extendieron sus labios inferiores sobre los superiores y asintieron.

Sin creerme realmente, el sastre agregó: "No olvides darles un *zetz* en la entrepierna por mí. Pero no menciones que te dije que lo hicieras".

Ojalá pudiera decir que el mismo Joe McCarthy me interrogó, pero fue Roy Cohn, el Nosferatu judío.

La mesa de los testigos y los banquetes del Congreso estaban separados por una gran extensión de alfombra verde gastada. Me senté en una pila de guías telefónicas para poder estar al nivel del micrófono. Tenía más miedo de las uñas y los dientes de Roy Cohn que de sus palabras.

Roy Cohn preguntó con voz aguda y acusadora: "¿Es usted ahora o alguna vez ha sido miembro del Partido Comunista?"

"Soy marxista, senador, no comunista, como mi Unkle Traktor, que agradecería estar en la lista negra."

"Nadie aquí hoy es senador".

"Lo siento, senador".

Bobby Kennedy se inclinó y puso su mano sobre el micrófono de Cohn y susurró: "Es un niño. Sé gentil. No quieres perder la simpatía de la gente".

Cohn dijo: "No me importa. Es un pequeño bastardo comunista".

"Déjeme preguntarle de nuevo: ¿es ahora o alguna vez ha sido miembro del Partido Comunista?"

"No. Tienen una edad mínima".

"¿Está familiarizado con la propaganda llamada 'El dilema de la última papa frita'?"

"Sí."

"¿Escribió o no, en parte o en su totalidad, 'El dilema de la última papa frita'?"

"Antes de responder, ¿puedo tomar una siesta? Ya es tarde."

"¿Cree que esto es divertido, joven?"

"No señor. Le estaba contando mi horario".

"Usted no respondió mi pregunta. ¿Escribió o no, en parte o en su totalidad, 'El dilema de la última papa frita'?"

Les dije que quería papas fritas y Unkle Traktor pensó que le estaba dando un consejo. Podría haber pedido leche con chocolate.

"¿Está tratando de ser gracioso de nuevo?"

"No señor. ¿No le gusta la leche con chocolate?"

"Le encuentro en desacato al Congreso. Considérese en la lista negra".

No estaba seguro de por qué estaba en la lista negra, pero en un último intento desesperado por ayudar, le pregunté: "¿También puedes incluir en la lista negra a mi Unkle Traktor?"

"No. Tenemos un expediente sobre él y lo disfrutaría demasiado ", dijo Roy Cohn.

10

LENNY BRUCE Y YO

Aunque era mediados de la década de 1950, el rostro de mi maestra de jardín de infancia era una reliquia, todavía reflejaba la Gran Depresión. Largo, seco y surcado. Su cabello estaba tan apretado hacia atrás que hacía que las comisuras de sus labios se rizaran, como la sonrisa antinatural de una marioneta pintada. Sus ojos se enfocaban como un ave rapaz, y su nariz se posaba por cualquier olor rebelde o acción odiosa. Ese rostro se convirtió para mí en el rostro de la educación.

El primer día de clases, la tía Esther y el tío Morty caminaron conmigo, cada uno con una mano, en la familiar formación de una Y torcida, tratando de emular a una familia normal. Cuando llegamos a la puerta principal, se me negó la entrada. La tía Esther le mostró al director y a la reliquia mi certificado de nacimiento y las certificaciones de que había recibido todas las vacunas adecuadas.

"Lamentamos informarle que su hijo ha sido incluido en la lista negra", dijo la reliquia. "El Comité de Actividades Antiamericanas de la Cámara de Representantes nos ha informado que su hijo está en la lista negra desde el jardín de infancia por su participación en una propaganda insidiosa llamada "El dilema de la última papa frita".

Por mi contribución a ese volante, me convertí en la persona más joven en ser incluida en la lista negra y posteriormente desterrada del jardín de infancia. Hasta ese momento no conocíamos la naturaleza exacta de las consecuencias. El tío Morty estaba orgulloso, envidioso e indignado a partes iguales. Algunos de los otros niños simplemente tenían envidia. Un niño le preguntó a su madre si él también podía ser incluido en la lista negra para que lo enviaran a casa. Pero yo sería el único enviado a casa ese día. Ninguna cantidad de engatusamientos o discusiones por parte de la tía Esther y el tío Morty ayudó.

"El niño es una amenaza para la sociedad", dijo la maestra, sus palabras demostradas por su rostro de desaprobación.

"Tiene cinco años. Es un niño".

"Deberías haber pensado en eso antes de envenenar su mente y obligarlo a ayudarte con esa propaganda tuya".

"¿Y con qué propaganda envenenas a los niños?"

Preguntó el tío Morty. No es la réplica más convincente o congraciadora. Además, habían memorizado mi expediente y la directora necesitaba solo dos años más para jubilarse. Mientras caminábamos de regreso a casa con las manos a los lados, supe que no era culpa de la maestra. O su rostro siguió su mente o viceversa. Y fue la primera persona que conocí que comía yogur porque le gustaba.

A pesar de que se avecinaban los Altos Días Santos, esa noche se convocó una reunión de emergencia en el patio.

"Rosh Hashaná es a principios de este año", dijo Muriel a cada persona cuando aparecieron en el patio. A los judíos les gusta decir que Rosh Hashaná es a principios de este año. Rosh Hashaná llega tarde este año. Pero nunca he visto a un judío mirar su reloj y decir: "Rosh Hashaná llega a tiempo este año". Si no hay un estándar, ¿cómo pueden haber desviaciones?

"Sí, Muriel, todos sabemos que Rosh Hashaná llega temprano este año".

"El niño necesita una educación formal".

"Quizás debería ir a una ieshivá".

"No puede ser un *bohker* de yeshivá", dijo Tummler.

"¿Por qué no puede ser un bohker de yeshivá?"

"¿Qué mujer normal quiere follar a un hombre con *payess*, camisa blanca amarillenta y sombrero de piel? Te diré qué tipo de mujer lo hace. Una mujer con peluca que necesita un baño especial es quién", dijo Fern.

"Tiene cinco años".

"Por una vez en mi vida, estoy pensando en el futuro y tú me criticas".

"Sí, ¿por qué sus camisas blancas son amarillas?"

Hablaron de enviarme a la escuela católica, lo que resultó en elogios para los italianos por ser muy judíos; desconfianza de las monjas como extraterrestres y demasiado vestidas en verano; y un desdén por el Papa Pío, que no hizo nada por los judíos durante la Segunda Guerra Mundial.

"¿Por qué alguien querría ser monja?"

"Probablemente estuvo casada una vez, por eso".

"¿No tienen que ser vírgenes?"

"Por favor. ¿Quién es virgen ya?"

"Una vez le di a una monja mi asiento en el metro".

"¿Por qué? ¿Se parecía a Ingrid Bergman?

"No, se parecía a Barry Fitzgerald".

"Está esa escuela ortodoxa griega", dijo mi padre.

"¿Cómo pueden los griegos ser ortodoxos?" preguntó mi abuela.

"Es una broma."

"Sí, pero ¿cómo pueden los griegos ser ortodoxos?" dijo mi abuelo.

"Es una broma."

"Son ortodoxos, no Ortodoxos", dijo mi madre.

"Eso lo explica", dijo la tía Esther.

Mi futuro inmediato se descarriló por la discusión de cómo los griegos podían ser ortodoxos hasta que Tummler dijo: "Sé qué hacer. Pero se necesitará dinero". Tummler conocía a otro trabajador de la Ciudad que conocía a otro trabajador de la Ciudad que podía emitir un certificado de nacimiento original con un nombre diferente, no una falsificación, sino un derecho de nacimiento fraudulento con un sello nítido. Una vez más, mi abuela tuvo que asaltar el Fondo Republicano / Dildo / Universitario, cuya ironía solo se perdió en Muriel.

Necesitaba nuevos padres si iba a volver a la escuela. Entonces, cuando apareció el nuevo certificado de nacimiento dos semanas después, me mudé con Tummler, Muriel, Jane y Skippy / Basil tan abruptamente como la primera vez.

Vivían a pocas cuadras de la tía Esther, así que volví a la misma escuela, pero con una madre y un padre diferentes y con un nombre diferente.

Tummler y Muriel me acompañaron a la escuela, cada uno con una mano, pretendiendo ser una familia.

"¿Cómo nos quedamos estancados con él de nuevo?" Preguntó Tummler.

"Porque tenías que actuar como el Sr. Hotshot y decirles a todos que conocías a alguien", dijo Muriel.

"Es culpa de Traktor y sus estúpidas ideas comunistas. ¿A quién le importa una mierda lo que le pase a una papa frita?"

Aunque escuché lo que dijeron Muriel y Tummler, pensé ¿cuántos niños pueden ir a Washington, conocer gente famosa y comprar un traje nuevo?

Esta vez no había grupos de padres e hijos acosados por la ansiedad por la separación esperando afuera del edificio de la escuela, sino capas de gritos agudos de niños que solo se escuchan en la playa y los patios de la escuela. Esta vez buscamos al director y la reliquia porque las gorgonas en la puerta estaban ocupadas en las actividades escolares habituales. Tummler se disculpó por haberme perdido las dos primeras semanas de clases, pero cuando se les preguntó por qué no me habían registrado de manera oportuna, Tummler se quedó desconcertado y contó algo sobre cómo asistí a la escuela de payasos durante el verano y se hizo tarde. La mayoría de los cómicos odian a los payasos y a los mimos, por lo que esta mentira fue doblemente desconcertante. Muriel luego intervino: "Estaba enfermo de sarampión y no queríamos que los otros niños se enfermaran".

El director y el semblante amenazador me miraron.

"¿No ha estado aquí antes?" preguntó la reliquia.

"No, este es su primer día".

"Estoy seguro de que lo he visto antes. ¿No es el chico que estaba en la lista negra?"

"¡Incluido en la lista negra! ¿No, qué quieres decir? Estaba en la escuela de payasos con sarampión".

"Y con el maquillaje, era difícil saber que tenía sarampión".

Me preguntaba cuántos años tenía que tener alguien para decir una mentira convincente. Yo ya podría decir mejores.

"¿Estás seguro? Parece tan familiar".

"Todos los niños de cinco años se parecen. Como las personas mayores se parecen".

"Y algunos grupos étnicos", agregó Tummler.

"¿No son ustedes los padres de Jane y Basil?"

"Sí. Lo somos."

"¿Cómo es que nunca mencionaron nada sobre tener un hermanito?"

"Sabes cómo pueden ser los niños. Quiero decir que eres una maestra ", dijo Tummler. Yo esperaba que Jane y Skippy / Basil hubieran memorizado mi nuevo nombre.

Sabían que era yo, pero ni el sistema escolar de la ciudad de Nueva York ni Washington, DC, tenían todavía mis huellas dactilares, y aunque habían pasado solo unos años desde el descubrimiento de Crick y Watson, la practicidad del uso del ADN estaba a décadas de distancia de este recinto. La reliquia me acompañó a clase y me presentó, donde los otros estudiantes me saludaron con voz cantarina. Ella, a su vez, saludó a sus hijos de cinco años, pero de la misma manera que un exterminador saluda a los ratones que corren por los bordes de una habitación. Y en lugar de veneno, nos dio leche tibia y pintura con los dedos.

Estar dos meses atrasado en el jardín de infancia es como perderse los primeros años de los episodios de *Three Stooges*. Es fácil, a menos que tengas dificultades para colgar el abrigo o sentarte en el suelo.

El apartamento de Muriel y Tummler no estaba del todo listo para mi llegada. Mi cama temporal era una variedad de toallas, mantas y almohadas debajo de la mesa de la cocina y me dijeron que fingiera que estaba acampando. Me imaginaba viviendo bajo las estrellas si las estrellas aparecieran como veinte años olvidando limpiar la parte inferior de una mesa.

El apartamento era un homenaje a la comedia, adornado con fotografías autografiadas de cómics, talones de entradas y notas en servilletas. Había algunas de personas conocidas, incluida una foto firmada de Zeppo Marx. "Para Tummler, no tenemos nada en común". Pero la mayoría de los recuerdos eran de personas desconocidas que Tummler esperaba que se hicieran famosos y convirtieran su basura en oro.

Jane y Skippy / Basil tenían habitaciones pequeñas que reflejaban quiénes eran. La habitación de Jane era luminosa y aireada y estaba llena de los libros más felices, excepto los asignados para la escuela. La de Skippy / Basil estaba tenuemente iluminada con fotos de pistolas y cuchillos; a pesar de que estaban prohibidos, estaba claro que algo letal estaba escondido en alguna parte.

El segundo día de clase no fue mucho mejor. Habían muchas cosas que querían enseñarnos, incluido cómo seguir órdenes, estar callados cuando se nos decía y cómo regar las plantas. La última, imagino, fue el residuo de los jardines de la victoria de la Segunda Guerra Mundial. Le dije que pintar con los dedos era una actividad extraña; ella me dijo que lo hiciera de todos modos. Hasta la universidad no me di cuenta de que había una condición psicológica llamada encopresis que se parecía mucho a la pintura con los dedos. Cuando le dije que no me gustaba la leche tibia y que no podía fingir estar cansado para tomar una siesta, me mandaron a casa. Al menos le di dos días.

Una noche, Tummler anunció que nos llevaría a Skippy / Basil y a mí a la ciudad. Muriel cuestionó qué actividades educativas ocurrían durante la noche y Tummler respondió: "Música. ¿Qué diferencia hace? Música".

"No vas a llevar a esos chicos a un club de striptease".

"Por supuesto que no."

Caminamos por la calle hasta el metro y nos bajamos en West Eighth en Greenwich Village. Alguien siempre estaba sosteniendo mi mano. Caminamos unas pocas cuadras y bajamos unos escalones donde Tummler llamó a una puerta y le murmuró al portero: "Buddy Hackett me envió", al tipo de la puerta.

"No conoces a Buddy."

"Lo conocí cuando era Lenny Hacker de Brooklyn".

"¿Pero qué hay de esos niños?"

"Ellos también conocen a Buddy".

Tummler se había encontrado con Buddy Hackett, quien le dijo que había un cómico que era un genio que solía ser un compañero de cuarto suyo y que Tummler tenía que ver actuar. Así que nos trajo a Skippy / Basil y a mí. Como parte del ambiente, la habitación estaba llena de humo y voces roncas, y sillas y mesas que se balanceaban.

De repente, una voz resonó de la nada: "Damas y caballeros, Lenny Bruce".

Bruce miró a la audiencia y luego comenzó su parte, pero como si estuviera en medio de una conversación con otra persona. "Si puedes tomar un enema de plomo caliente, puedes lanzar la primera piedra. Mucha gente me dice: "¿Por qué mataron a Cristo?" No sé. Fue una de esas fiestas; se salió de control, ya sabes. Y, por cierto, si Jesús hubiera sido asesinado hace veinte años, los escolares católicos estarían usando pequeñas sillas eléctricas alrededor del cuello en lugar de cruces".

No entendía todos sus chistes, pero la gente gritaba. Y luego empezó a maldecir y la gente se reía aún más fuerte. Antes de este momento, la gente se metía en problemas por maldecir, pero él era un héroe por maldecir. *A la mierda el jardín de infantes*, pensé.

Entonces, un tipo en nuestra mesa y otros cuatro

en otras mesas saltaron y anunciaron una redada. Otros policías llenaron la habitación como una fuga de monóxido de carbono. Eran el Escuadrón Antivicio, y este era un espectáculo indecente. Nos llevaron a todos a la comisaría y nos acusaron de corromper la moral de un menor. "Pero si son menores, ¿cómo podrían estar corrompiéndose a sí mismos?" Preguntó Tummler.

"Tenemos que acusarlos de algo", dijo el policía mayor.

"Solo estábamos escuchando. ¿Escuchar es un crimen?" Dije.

"Deberías haber sabido lo que estaban escuchando", dijo un policía más joven.

Skippy / Basil estaba nervioso de que se enteraran de otras cosas, de todo lo que hacía. Y ahora también tenía antecedentes penales, pero fue la noche más emocionante y confusa de mi joven vida.

Naturalmente, Muriel estaba furiosa. Estaba enojada porque Tummler no llamó. Estaba enojada porque Tummler le mintió. Ella estaba enojada porque fuimos en primer lugar.

"¿Qué voy a hacer mañana?" dijo Muriel. "Es demasiado tarde para enviarlos a la escuela. ¿Qué tipo de nota voy a escribir? 'Por favor, disculpe a mi hijo por no ir la escuela hoy, fue arrestado anoche'. Me casé con un idiota".

"Yo también", dijo Tummler.

Le dije a la policía que era la reliquia la que estaba corrompiendo la moral de un menor y la policía dijo que ese era su trabajo. El juez sabía intuitivamente que Tummler no era una amenaza para la sociedad, solo para él y su familia, y esa amenaza estaba más allá de sus capacidades. El juez nos dijo a Skippy / Basil y a mí que sellaría nuestras acusaciones penales si no nos metíamos en más problemas. Esta no fue ni la mitad de preocupante que la advertencia que nos dio mi primo del delivery, Jerry, unos días después: "Es mejor que tengan cuidado. ¿Quieren crecer y ser como yo?"

La policía se puso en contacto con la escuela y, en una semana, me asignaron una maestra mucho más joven y sonriente. Sin embargo, agregó su advertencia y dijo que iba a ser muy estricta conmigo porque no quería aparecer ante los demás como una "compañera de viaje" o una simpatizante del comunismo.

Me porté bien mientras ella nos enseñaba a hacer corazones torcidos para el Día de San Valentín; tocado de plumas de papel para Acción de Gracias; y para el recital obligatorio del jardín de infantes, alas para un disfraz de mariposa, hechas de cartón y pegadas a la parte de atrás de una camisa vieja.

El único incidente real durante el resto de mi año de jardín de infantes fue a manos de Skippy / Basil. Uno de sus malos hábitos era la crueldad con los animales. Capturaba insectos y con un cortaúñas les cortaba las alas. Cuando vio mi disfraz de mariposa, no pudo resistirse y me cortó las alas justo cuando estábamos a punto de salir de casa para el recital.

Tenía una línea: "¿No soy una hermosa mariposa?" Y todo lo que vieron los padres fue una camisa vieja con algunas manchas en la espalda.

11

VOLVER A BUBBE

¿Qué es más inocente que la preocupación de un niño por un cubo y una pala en la playa, creando un mundo imaginario, solo para luego ser desnudado por su madre mientras cambia innecesariamente su traje de baño frente a todo el mundo? Ese mundo son los bañistas que descansan en varios tonos de pálido y melanoma, algunos con la mirada perdida en el horizonte, otros acostados boca abajo con solo una toalla raída que separa sus labios de la arena. El sol te marea al final de la tarde.

Luego están los recordatorios de los peligros constantes.

"No caves ese hoyo demasiado profundo. Se derrumbará y te sofocarás".

La mayoría de los peligros se centraban en ahogarse.

"Ten cuidado con la resaca. Te arrastrará y te ahogarás ".

"Las olas son demasiado grandes. Te derribarán y te ahogarás ".

"No entres al agua a menos que haya un salvavidas. No puedo salvarte y te ahogarás".

"Solo porque te comiste un sándwich de atún, no te convierte en un pez. Así que tienes que esperar una hora antes de nadar porque te darán calambres y te ahogarás".

Y todas las advertencias terminaban con "... y luego lo lamentarás".

La mayoría de la gente no asocia las playas con Nueva York, pero hay muchas con sus propios sabores. Por encima de los gritos de los niños que son derribados por las olas, sólo para volver a ponerse de pie para que puedan ser derribados una vez más, estaban los gritos de los vendedores con pieles de lagartos que gritaban: "Knishes calientes. Bebidas frías." Por supuesto que no lo estaban. Los vendedores arrastraban los pies por la arena como el superviviente de una película de serie B, cuyo avión se estrelló en el desierto. Llevaban sus knishes y bebidas en capas de bolsas de compras marrones reforzadas con grasa. Los knishes no eran los perfectos de Brighton Beach Avenue. No, estos eran fritos, horneados nuevamente al sol, y parecían y sabían como tercera base. Si los knishes quedaban sin vender, se formaba una pátina verde justo debajo de la corteza. Todos llamaban *pishechtz* a las bebidas de naranja selladas en un pequeño cartón de cera. Cuando querías algo, gritabas: "Oye, pishechtz", y el vendedor se acercaba penosamente. Él sabía su nombre.

Si ibas a la playa temprano o lo suficientemente tarde, los hombres con coladores caseros hechos de un marco de madera y una pantalla de ventana buscaban en la arena dinero, joyas y quién sabe qué. Abundaban los rumores de que estos tipos desenterraron monedas raras, sumas extraordinarias de efectivo, relojes caros, lingotes de oro y partes del cuerpo.

Una tarde extremadamente calurosa, busqué refugio bajo la sombra rayada de la pasarela. Mi abuela se sentaba directamente arriba, jugando mah-jongg. Mientras cavaba, encontré cuatro cosas que parecían globos, pero cuando intenté inflar uno, la voz de una mujer, una madre sin duda, llenó la playa. "¡Detén a ese chico!" La mujer que gritaba luego agregó con estilo dramático: "¡Él va a morir! Está haciendo estallar un pescado blanco de Coney Island". ¿Cómo se suponía que iba a saber a mi edad cómo eran los residuos de actividades nocturnas bajo la pasarela?

Mi abuela miró a través de los listones de la pasarela y estaba tan sorprendida que no terminó su mano de mah-jongg. Me metió en un taxi y corrimos al hospital. No hace falta decir que fue mi primer viaje en taxi. El taxista fumaba un cigarro humeante, las cenizas embotadas por años de experiencia y el parabrisas delantero, y en los cinco minutos que tardó en llegar a la sala de emergencias, el taxista no solo nos contó los últimos cuatrocientos años de la historia de su familia sino también lo que planeaba almorzar y por qué era la mejor y más barata comida del vecindario. Fue un estándar alto para todos los viajes en taxi futuros.

Corrimos hasta el Hospital de Coney Island, un edificio que se alzaba oscuro y lúgubre, incluso cuando el sol brillaba con fuerza; casi esperabas que una hermosa pero aterrorizada joven gritara desde lo alto de la torre para que no entrara. En el interior, cada pasillo conducía a otro más estrecho y presagioso; las paredes estaban pintadas de dos colores diferentes y separadas por una raya pintada por un borracho. La sala de espera estaba abarrotada de pacientes y sus familias y un letrero en la entrada: "Abandonen toda esperanza, ustedes que necesitan esperanza de inmediato". Un hombre apoyaba la barbilla en el pecho, su brazo derecho esposado a la silla. Sin embargo, este era el hospital que conocíamos.

Cada uno de mis padres y delegados estaban en el hospital o de camino. Para cuando se realizó la última llamada telefónica, la historia se convirtió en una perversión de una perversión. Nadie mintió intencionalmente. Lo malinterpretaron en aras de un mayor drama.

"Se tragó un pescado blanco de Coney Island. Va a ser un *faygeleh*", dijo Muriel.

"¿Es esa tu opinión médica?" preguntó mi padre.

"En cuanto a usted, señor que lo sabe todo, mire. Esto lo convertirá en un faygeleh, y entonces sabrás para qué."

Un joven médico sincero se abrió paso entre los otros desafortunados y se acercó a la familia. "Entonces, ¿qué pasó exactamente?"

"Ella estaba jugando mah-jongg y dejó al niño solo", dijo Muriel.

"¿Es eso una condición médica?" preguntó el doctor.

"Ella arruinó su vida".

"Cierra los dientes", dijo mi abuela.

"A los efectos de un diagnóstico adecuado, ¿qué sucedió realmente?"

Todos se quedaron en silencio durante unos segundos hasta que dije: "Traté de inflar algunos globos".

"¿Dónde encontraste estos globos?"

"Debajo del paseo marítimo".

"¿Trajiste uno contigo?"

"¿Qué tipo de médico enfermo eres?" preguntó Muriel.

"Tummler, ¿puedes llevar a Muriel afuera?" mi madre dijo.

"Por lo general, un adulto puede acompañar a un niño, pero creo que haremos una excepción. Enfermera, por favor acompañe a este niño a la sala de examen tres".

Una anciana enfermera vestida de blanco, que,

al igual que el iceberg que hundió el Titanic, era más grande debajo de la superficie, me agarró de la mano y me arrastró por el pasillo. Me administraron todo tipo de exámenes y radiografías, y cuando reaparecí unas horas después, el médico dijo: "No se tragó nada, pero le dimos penicilina por precaución".

"¿No dan penicilina para la sífilis? Tiene cinco años y tiene sífilis", dijo Muriel, quien había regresado tras escapar de la seguridad familiar.

"Señora, le puedo asegurar que no tiene sífilis. Solo mírelo durante los próximos días para asegurarse de que no tenga efectos adversos por la inyección y que no haya ingerido nada que pueda enfermarlo".

"¿Efectos adversos?"

"Sí, como hinchazón en el lugar de la inyección o diarrea".

"'Efectos adversos' es un código para faygeleh," susurró Muriel en voz alta.

"Gracias, doctor", dijo mi madre. "¿Cuál es su nombre?"

"Dr. Reggiano."

"Bueno, gracias, Dr. Reggiano", dijo el tío Morty vestido con su ropa blanca de la estación de freír en Nathan's, a poca distancia del hospital.

"No lo digas, Muriel", dijo mi madre.

"Esto es Brooklyn. ¿No tienen médicos judíos?" preguntó Muriel.

"Los judíos inteligentes están en los buenos hospitales.Ustedes me tienen a mí", dijo el Dr. Reggiano con ecuanimidad.

Cuanto mayor sea la edad, es menos probable que la gente cambie de casa. ¿Por qué gastar dinero si vas a morir? Mis abuelos no fueron la excepción. La mesa de comedor de formica y tubos de aluminio aún desafiaba la gravedad al estar de pie. Las sillas acompañantes tenían algunos cortes y magulladuras más, pero el relleno del cojín aún no se había escapado. Y el corte en la borra que hizo mi abuelo persiguiendo al intruso quedó sin reparar. Mi abuelo se sentaba y escuchó a su compañero más cercano, una vieja radio con forma de catedral. Prefería lo que llamaba "la estación de la ciudad".

Mi abuela surgió de un lugar mítico donde se escondía bajo la falda de mi bisabuela. Los cosacos a caballo llegaron cabalgando a los pueblos pequeños dispuestos a matar a mi abuela con una espada. El suelo de la choza, tierra. Esto no tenía sentido para mí, pero creí cada palabra.

Mi abuela siguió el consejo del médico y no me dejó salir de casa durante una semana, y su idea de entretenerme era volver a contarme bubbe meises. Tenía una manera curiosa de hablar, lo que hacía que estos cuentos de viejas fueran aún más absurdos. Hablaba con un acento combinado de Brooklyn / judío (a pesar de que llegó a los Estados Unidos a la edad de tres años) y se deleitaba con las palabras que inventaba.

Su vocabulario incluía *jeet* (¿comiste?) Y uno de mis favoritos que no solo era colorido sino matemáticamente exacto, *sumas de perras*. Ella rociaba en palabras como *paintner*, *sangwitch* y *gotkas* y agregaba sus creaciones como *ultatomato* (como en "ella le dio el *ultatomato*: o se casa con ella o se acabó), garzas en escabeche (aunque probablemente nunca había visto una garza), busto chico (alguien que limpia las mesas en un restaurante) y el cantante Victor Moan. Nunca estaba seguro de si ella no conocía las palabras reales o si elegía ignorarlas.

No es que se suponga que bubbe meises tenga sentido, pero dijo una que era particularmente desconcertante.

"Nunca dejes la Biblia o el Talmud abiertos. Cierra siempre el libro".

"¿Incluso cuando lo estás leyendo?"

"Solo cuando no lo estás leyendo".

"¿Por qué, bubbe?" Yo pregunté.

"No sé por qué. Se supone que debes escuchar y contárselo a tus nietos algún día".

Durante mi breve e inútil convalecencia, mi abuelo encontraba mi cama, se sentaba en el borde y decía: "Cuando seas un niño grande, te llevaré a clases de música. ¿Te gustaría eso?"

"Claro", dije, sin saber exactamente a qué se refería. "Gracias, *zayda*." Y luego volvía a su radio.

Como mi abuela estuvo en casa conmigo durante una semana, el juego de mah-jongg fue con ella.

Todos los días, justo después del almuerzo, otras tres mujeres subían los escalones de su cocina, donde llamaban al azar los nombres de los azulejos. "Dos bam. Tres crack". Existen numerosas explicaciones de por qué las mujeres judías son adictas al mah-jongg. Lo que comenzó como una diversión exótica de mujeres ricas se filtró a los pobres, quienes pasaban horas y horas jugando en Catskills mientras estaban de vacaciones, un ejercicio de unión y entretenimiento barato. Pero nada explica su cualidad duradera.

Una tarde, hacía tanto calor que mi abuelo se quitó uno de sus suéteres, y mi abuela y sus tres amigas se quitaron las blusas y los sujetadores y se enfriaron los pechos sobre la mesa mientras arrojaban las fichas de mah-jongg a su alrededor, que de vez en cuando rebotaban en su carne con un pequeño golpe. Estas eran viejas europeas del este y por ley debían tener senos grandes que, cuando estaban completamente vestidos, podían usarse como mesa de refrigerios. Pero hoy sofocados.

Cuando me desperté de mi siesta y caminé hacia su juego, dos mujeres se rieron y dos chillaron cuando una dijo: "Es solo un niño, no sabe lo que está mirando". Y tenían razón; cada par parecía un par adicional de manos inútiles.

Mi abuelo salió de su habitación y preguntó: "¿Qué es tan gracioso?"

"Nada, Izzy."

"Huelo galletas *mon*", dijo. Mi abuela solía hacer

galletas mon para "sus amigas" incluso en el calor abrasador. Como siempre, caminaba con las manos extendidas, balanceándolas levemente, buscando las paredes y los muebles hasta que se topó con la mesa donde se sentaban las mujeres y comenzó a tocar sus pechos.

"Izzy, lárgate."

"¿Qué son estos?"

"Kishka", dijo mi abuela.

"No se sienten como kishka. Se sienten diferentes".

"Son mis kishka, Izzy, las traje aquí para mostrár-selas a las demás", dijo Pearl, una de las jugadoras de mah-jongg.

"Este es enorme", preguntó mi abuelo.

"Pearl solo se está luciendo".

"Me encanta kishka, ¿puedes cortarme un trozo?"

"Aquí tienes algunas galletas mon", dijo mi abuela mientras recogía unas cuantas y vertía té en un vaso de yahrzeit. Mi abuelo vertió cuidadosamente el té en un tazón de cereal para enfriarlo y luego puso un te-rrón de azúcar entre sus dientes postizos mientras bebía.

"Ahora *gay avek*", dijo mi abuela.

A menudo me preguntaba si mi abuelo sabía lo que estaba haciendo cuando tanteaba a las amigas de mi abuela. Había inocencia y aislamiento en su ce-guera, pero conocía el mundo a través de sus otros sentidos y rara vez mostraba sentido del humor.

Quizás este momento de rebelión se estaba gestando; tal vez quería un momento de independencia; tal vez él realmente no lo sabía. Quizás fue un gesto de caridad de las amigas de mi abuela.

Nunca pensé que estaría ansioso por regresar a la escuela, pero después de los eventos del verano, la escuela era bienvenida. Mientras caminábamos hacia la escuela, pensé ver a mi madre escondida detrás de los autos estacionados. Miré los ojos de mi abuela, pero no revelaron nada inusual. Mi abuela tuvo que traer mi boleta de calificaciones del jardín de infancia como precio de admisión. El informe de cartón era azul claro piloto, manchado con calificaciones por caminar correctamente y responder a las señales con prontitud, y la capacidad de vestirse solo. ¿Por qué solo no agregaron una categoría: se comporta como un animal? ¿Cómo podría no estar listo para el primer grado?

Tras la presentación, el director preguntó: "¿Es este el chico que estaba en la lista negra?"

"¿Cómo se ve un comunista de seis años?"

"Él."

"¿Por qué no van tras comunistas adultos?" preguntó mi abuela.

En su mayor parte, no hice nada para llamar la atención en primer grado. Evité contestar las preguntas más difíciles o golpear a cualquier niño que quisiera iniciar una pelea, porque ¿quién sabía lo que diría o haría mi abuela si tuviera que venir a la escuela si me portaba mal? Todos los que iban a la escuela en ese momento recuerdan haber imitado a un feto debajo de nuestros asientos y ponerse nuestros abrigos sobre nuestras cabezas en caso de un ataque nuclear soviético. Pero había un propósito mayor, según la tía Esther. Explicó que la escuela y los funcionarios electos tenían que aparentar hacer algo, incluso si era inútil. Tuvieron que permanecer juntos durante este tiempo de gran temor, e incluso una fachada de disposición y conciencia demostraba un esfuerzo unificado para combatir el comunismo. Estos ejercicios irresponsables me enseñaron una lección muy valiosa, especialmente para la vida laboral: el movimiento es más importante que los resultados.

La elección de cartillas de la escuela probablemente impidió mi progreso. Nos obligaron a Alice y Jerry. Y Jip. "Ver a Jip correr. Corre, Jip,

corre." ¿De dónde proviene el nombre? En Brooklyn, y me imagino en otros lugares, gyp significa engañar a alguien. ¿Por qué nombrarías a un perro en referencia a eso? Sin embargo, de esta tierra de textos simplones y temores arraigados surgió una generación de judíos con grandes logros.

Un sábado por la mañana llamaron a la puerta. Al principio no presté atención, pero luego, cuando la conversación avanzó un poco, traté de escuchar. Pude ver un copete resaltado contra la pared.

"Te di dinero y te dije que no regresaras", dijo mi abuela.

"Se trata del chico".

"¿Qué pasa con el chico?"

"Conozco a tu familia, y hay cosas que no pueden enseñarle que yo sí".

"No sé si quiero que él sepa esas cosas".

"No, cosas buenas. Cosas que puede usar cuando se convierta en hombre".

"Solo lárgate"

"Los libros no te enseñan todo. Le enseñaré cosas que no están en los libros".

"¿Como qué?"

"No te preocupes por eso. Sé lo que necesita un chico".

"Sé que no debería hacer esto".

"Solo por esta vez, y algún día me lo agradecerás".

"Y prometes que nunca volverás".

"Sí, sí."

Todavía no estoy seguro de por qué la abuela cedió. El verdadero nombre del Copete era Jimmy the Hair. Mientras conducíamos en su Chevy trucado, Jimmy the Hair hizo muchas preguntas.

"¿Conociste a tu tía Rose Hips? ¿Tu abuela alguna vez habla de mí? ¿Sabes jugar al baloncesto? ¿Eres el genio?"

"¿Qué es un genio?"

"Alguien que sabe muchas cosas".

"No", respondí a todas. Pensé que quería hacer más preguntas, pero no lo hizo. Llegamos a una cancha de baloncesto del patio de la escuela, donde sus amigos ya estaban jugando pero se detuvieron cuando llegamos. En lugar de jugar con camisa y sin camisa, jugaban con cigarrillos y sin cigarrillos. Los cigarrillos colgaban de la comisura de la boca de un equipo mientras driblaban pista abajo. Estaba hipnotizado porque apenas caía ceniza. La mitad de los chicos usaban zapatillas de deporte mientras que la otra mitad usaba zapatos de cuero negro con puntas y suelas puntiagudas que se deslizaban por el patio. Aunque jugaban duro bajo las tablas, nunca se metían en una pelea, ya que de alguna manera entendían las reglas escritas y no escritas.

Esa tarde me enseñaron el set shot a dos manos, el pick-n-roll y la forma correcta de doblar una porción de pizza para que puedas comértela y no quejarte cuando te quema el paladar. Jimmy the Hair me enseñó a doblar billetes de dólares, para poder contar cada uno dos veces al pagarle a alguien. También me mostró cómo lucir y hablar duro para que no tuvieras que pelear.

"Les das una opción. Dices: '¿Quieres que te saque la lengua del culo para que nunca más vuelvas a comer un helado de chocolate? ¿O quieres que juegue al stickball con tus ojos y les pegue tres alcantarillas? Depende de ti". Se supone que las amenazas no tienen sentido; de hecho, cuanto más locas sean, mejor". La idea de ser inteligente en la calle es saber cuándo y contra quién pelear, me dijo.

Llegué a casa con una musculosa junior, mi cabello peinado hacia atrás con un tubo de Brylcreme y un paquete de Camels. Después de apisonar los cigarrillos, Jimmy the Hair dijo que debería abrir el paquete desde la parte inferior para que siempre parezca sin abrir, de modo que si alguien quisiera fumar un cigarrillo, podría decirle que aún no he abierto el paquete. También tenía una pequeña navaja para jugar a mumblety-peg. Por favor, no se preocupe, solo fumaba en el camino de regreso a la escuela después del almuerzo y después de terminar mi tarea. Una pequeña recompensa. Por supuesto, mi abuela trató de detenerme, pero no estaba en terreno firme ya que también fumaba, y los residuos de su lápiz labial rojo en las colillas usadas hacían que pareciera tener una enfermedad de las encías horrible.

12

QUIERO SER PELIGROSO

"Quiero ser peligroso. Los pobres son peligrosos. Los ricos son peligrosos. Pero nadie le teme a la clase media. Nadie me tiene miedo", dijo mi padre.

Su último fracaso empresarial, combinado con años de animosidad a fuego lento como resultado de la proclamación pública de mi abuela de que él y mi madre no eran aptos para criarme adecuadamente, hizo que mi padre casi se enojara. Durante toda su vida, mis padres hicieron lo que pensaban que el mundo quería que hicieran. Se habían olvidado de rebelarse cuando eran jóvenes, y luego dibujaron sus vidas dentro de los bordes de una plantilla. El bromuro "Ser bueno es su propia recompensa" se burlaba de ellos. Solo querían sentir y ser algo más de lo que eran. Y luego siguieron escuchando sobre los Beats. Mis padres no estaban seguros de lo que representaban, pero con razón. Este pequeño grupo era conocido mucho más allá de sus números e intencionalmente no creó un manifiesto o reglas, que era el objetivo de todo.

Mi madre era muy inteligente, pero la inteligencia de una mujer en ese momento se consideraba un lujo, así que estudió taquigrafía y terminó en la compañía de taxis. Mi padre también era muy inteligente, pero no podía traducir esa inteligencia en un ingreso constante. Asistió a City College en un momento en que viajaban en el IRT a una escuela que reunió más premios Nobel que Harvard, y cuando salieron del tren, pasaron por un arco construido con rocas excavadas en la primera línea del metro. En el viaje de regreso a casa, sus cabezas se inclinaron hacia sus libros en señal de devoción. Mi padre estudió ingeniería eléctrica, pero la Segunda Guerra Mundial interrumpió bruscamente su educación. Disfrutaba de los cursos de literatura e historia, pero con el placer de un extraño. Sin embargo, esas clases no proporcionaron un contexto literario o histórico para Ginsberg, Kerouac y Burroughs, y mi madre y él conocían a Benny Goodman. Él y mi madre solo conocían a Artie Shaw y Buddy Rich, pero Dizzy, Bird y Monk seguían siendo extraños. Su actual curso de instrucción se convirtió en un proyecto de ley GI autoinfligido.

Mis padres no se conocieron, por mucho que rezumaran en la vida del otro. Se conocían de cerca pero, como muchos adolescentes, se mantenían a distancia. Siempre estaban en clases diferentes, pero mi padre hizo todo lo posible para caminar por la cuadra de mi madre. Cuando mi abuela no jugaba mahjongg, se sentaba en el deber de centinela, mirando por la ventana, aparentemente fotografiando y marcando a los transeúntes como pájaros migratorios. Ella conocía el andar de mi padre y su espalda antes de conocerlo a él. Un día colocaron sus mantas una cerca de la otra en Brighton Beach. Las personas semidesnudas atraen o repelen. Permanecieron juntos desde entonces durante el invierno y sin interrupciones hasta el matrimonio y la familia. La ingeniería eléctrica se convirtió en una necesidad inmediata de mantener a una familia.

Ahora, de regreso con mis padres, estaba rodeado de Gregory Corso, Lawrence Ferlinghetti y Neal Cassady, entre otros, abiertos a páginas específicas y accidentales. Los discos de Bebop medio sacados de la chaqueta yacían mientras la música de las mangas vacías rebotaba en las paredes. Estudiaron más que yo, lo que en realidad no es un estándar.

Mi madre dijo: "Realmente no entiendo la mayor parte de esto".

Pero cuando mi padre respondió: "Yo tampoco", su silencio se iluminó con este reconocimiento. Me animé tanto así como dejé a un lado mi material de lectura de segundo grado y leí sus libros llenos de palabras y pensamientos que serían prohibidos y despreciados. Eso significaba que tenía mucho que aprender.

Sin embargo, esto no disuadió a mis padres de su búsqueda para conocer a los Beats. Racionalizaron que su incapacidad para comprender algunos de los escritos de los Beats, era simplemente parte de la mística.

Cada uno eligió estilos distintivos. Mi madre afectó el look negro parisino de una tienda de segunda mano y mi padre el lío aceptable que consistía en una boina, un medallón enorme al cuello, una camisa campesina mexicana, un chaleco peruano y una faja india. Los problemas surgieron de su cabello y gafas apesadumbrados. Los Beats usaban anteojos negros, incluso si tenían una vista perfecta. Mi padre necesitaba sus gafas de carey, un estilo popular en ese momento. Para estar a la moda, aplicó cuidadosamente pintura negra de modelo de avión a sus marcos, tratando desesperadamente de suavizar las burbujas y las imperfecciones. Sabía que parecían repintados, pero tenía la esperanza de que la tenue luz del café ayudaría en su subterfugio.

El pelo de mi madre se parecía más a un abrigo de cordero persa que al de la hembra de los Beats, que colgaba lacio. Su cabello lacio caía más como una declaración que transmitía mundanalidad cansada que moda. Para alisar su cabello probó pociones compradas en la tienda que contenían lejía que lastimaban sus ojos y apestaban la casa. En vano probó remedios caseros como grandes rodillos y planchas. Finalmente mis padres fueron a un famoso salón de belleza en Bed-Stuy donde las mujeres negras se alisaban el cabello. Se sorprendieron al encontrar más mujeres judías que negras. Mi madre hizo que mi padre mantuviera abiertas las ventanillas del auto durante el viaje a casa para que el viento pudiera correr por su cabello. Era tan perfecto como iba a ser.

Incluso con todos sus esfuerzos por emular a los Beats, sus personalidades básicas no pudieron doblegarse. No se involucraban en las drogas, si no fuera por otra razón que se negaban a asignar dinero para ello en su presupuesto. Su presupuesto se regía por varios sobres en los que depositaban dinero hasta que era necesario, cada uno identificado con letras mayúsculas grandes: ALQUILER, SERVICIOS PÚBLICOS, COMIDA, COCHE y ENTRETENIMIENTO, pero no drogas. Tampoco podían abrir su casa a desconocidos o extraños desaliñados porque limpiaban todos los sábados por la mañana y no querían ponérselo más difícil de lo necesario. Tampoco podían hacer viajes innecesarios en automóvil; el gas era caro y pensaban que deambular sin rumbo no tenía rumbo.

Mis padres y yo éramos una pareja perfectamente extraña. Eran Beats, y yo era un engrasador, una unión de descontentos elaborada por el mismo hastío y conformidad social, pero que se bebía de manera diferente. Y estaba orgulloso de ellos, y esperaba que estuvieran orgullosos de mí. Cuando caminamos por la pasarela en Coney Island, los nadadores y los comedores de hot-dogs se separaron para dejarnos pasar. La apariencia practicada de mis padres y mi DA contrastaban bastante con la mayoría de los bañistas desnudos. Un DA es cuando el cabello peinado hacia atrás parece el culo de un pato.

Ahora se sentían mejor preparados para conocer a los Beats, así que se dirigieron a la City al Gaslight Café para una lectura de poesía. Mi madre y mi padre encontraron una mesa pequeña, pero nadie se acercó a ellos para tomarles su pedido. Mi padre se volvió hacia el chico de la mesa de al lado, "¿Sabes dónde un chico puede tomar una copa por aquí?"

"Soy Tony. ¿Eres homosexual?"

"No, soy de Brooklyn".

"Tengo un poco de té, hombre. ¿Te interesa?"

"No, conseguiré algo en el bar".

Después de otros quince minutos, mi padre se dirigió al bar. "Tomaré un whisky y un poco de Chianti". El Chianti era grande en esos días, ya que sus botellas cubiertas de paja se convirtieron en candelabros en restaurantes italianos y en muchos hogares.

"No servimos licor".

"¿Qué sirven?"

"Café exprés."

"Tomaré dos".

Mi padre no le dijo a mi madre lo caros que eran

los expresos ni que la fuerza lo abrumaba. Pasó otra media hora antes de que comenzara la lectura de poesía. Un hombre vestido con traje se levantó de una de las mesas y caminó hacia el director de la clase. Mientras hablaba de botes de basura sucios (como si los hubiera limpios), policías en blanco y negro y por qué las drogas son un digno sustituto del trabajo, se quitó la ropa. Su poesía era en verso libre pero su desnudez fue en pentámetro yámbico. Su alarma por la privacidad fue confirmada por su ropa interior.

La gente chasqueó los dedos en agradecimiento. La diferencia entre leer poesía y escuchar las inflexiones y ver el teatro fue a la vez distractora y estimulante. Siguió más poesía con non sequiturs profundos en tonos sexuales, enojados e irónicos. Estaban enganchados, pensaban; se alegraban de haberse esforzado. Esto era todo lo que su vida no era. A medida que el café se llenaba de humo, mi padre trató de quitarse las gafas para secarse la frente, pero la pintura no se había secado por completo y se le pegaron a la cabeza. Tiró de ellos suavemente pero no se soltaron. Él, por supuesto, no quería tirarse del pelo o la piel, pero cuando finalmente se los quitó, había una línea negra desigual a cada lado de su cabeza y un anillo alrededor de un ojo como Petey, el perro de *The Little Rascals*.

"Oye, hombre", dijo Tony. "¿Sabes dónde puedo conseguir esas rayas? Realmente me encantan. ¿Cuánto pan te costó eso?"

Mi padre, que fue vendedor la mayor parte de su vida laboral y por lo general tenía una respuesta para todo, vaciló un momento cuando Tony agregó: "Perdón por entrevistar tu cerebro. No tienes que decírmelo. Está bien."

"Los hice. Son un homenaje a Jackson Pollock", dijo mi padre.

"¿Cuánto quieres por ellos?"

"¿Cuánto quiero por qué?"

"Las gafas, hombre. Los lentes. ¿A menos que también quieras darme tu cabeza?"

"Es arte, hombre. No están a la venta."

"También puedo entenderlo".

Y la conversación murió allí; ninguno quería hablar de poesía, jazz o Jackson Pollock, ya que podrían ser expuestos por no saber lo suficiente, dar una interpretación incorrecta o mostrar entusiasmo por el pensamiento o el autor equivocados. Los tres formaban parte de la periferia del grupo muy pequeño, desagradable e impredecible.

"Ha sido un placer hablar contigo", dijo mi padre.

"Antes de que te vayas, hombre, ¿puedo manosear a tu vieja?"

Afortunadamente, mi madre ni siquiera escuchó la oferta. Y en un ataque de sólidos valores de clase media, mi padre agarró el brazo de mi madre para no volver a ver una lectura de poesía.

"¿Estamos bien, hombre?" Tony preguntó por la espalda de mi padre.

Durante días pude sentir que mis padres estaban molestos, pero claro, en ese momento no conocía las circunstancias. Todavía usaban principalmente ropa Beat, pero mi padre se cambiaría a un atuendo de negocios, incluido su sombrero Adams con una pluma roja que sobresalía de la banda. Encontró otro par de anteojos con una receta un poco anticuada que usaba en las entrevistas de trabajo y que tendría que bastar hasta que volviera a trabajar. Quería ayudar y mostrarles que el tiempo que invirtieron en los Beats y yo no fue en vano. Cambié mi peinado y mi ropa de engrasador a Beat para combinar con mis padres y pensé que Jimmy the Hair lo entendería. Escribí mi versión de un poema Beat para una tarea escolar. Por supuesto, no entendía lo que leía en la casa pero era un excelente mimo y ladrón. Caminé hacia el frente de la sala, miré enojado a mis compañeros de clase y leí en un staccato desafiante:

Vean a Alice y Jerry
Alice es frígida
Vean a Alice y Jerry
Jerry, ¿quién sabe?
Vean a Jip correr.
Corre, hijo de puta Jip, corre
Miren a ese hijo de puta de Jip correr.
"Gracias."

"Joven, ¿sabes lo que has hecho?" preguntó el director, Sr. Gutman.

La policía había detenido a mi padre muchas veces mientras conducía, así que sabía que esa pregunta siempre se responde con un "No".

"No seas un Sabelotodo".

"No soy un Sabelotodo. No sé lo que hice".

Te lo preguntaré de nuevo. ¿Sabes lo que has hecho?

"No."

"Leíste un poema que" —el Sr. Gutman vaciló durante más de un momento: "no rima. No rima ".

Marvin Gutman había sido director desde que se inventaron los directores. Su silla de madera ahora se adaptaba a su forma y la mayoría de los días simplemente encontraba el camino hacia su escritorio. Cuando la gente lo saludaba cálidamente, él realmente pensaba que lo decían en serio. Estacionaba su auto en la primera base pintada en el patio de la escuela, pero se preguntaba por qué las mellas y heridas seguían acumulándose en sus guardabarros y capó.

"¿Quiere que lo vuelva a escribir?" Pregunté. "Puedo hacer que rime".

"No, tuviste tu oportunidad. Se supone que los poemas riman".

"¿Por qué?"

"Porque por eso se llaman poemas".

"Los poemas de los libros que mi mamá y mi papá no riman".

"Entonces no son poemas".

"Dijeron que eran poemas".

"Bueno, se supone que los poemas de la escuela riman. Estás suspendido por dos semanas por no rimar. Y tu madre y tu padre deben venir aquí y hablarme".

"Compré semillas de pepino esta semana en la escuela".

"No importa. Aún estás suspendido".

A esa edad, todo era tan confuso, un niño tratando de comprender el mundo de los adultos o las acciones de los adultos. No sabe lo que significan ciertas palabras, pero sabe que son diferentes debido a la forma en que se dicen. Todavía estaba tratando de averiguar por qué fui castigado por algo que pensé que hice bien e ignorado por lo que realmente hice mal. No me importaba la suspensión; a esa edad, es difícil extrañar algo en la escuela. Llevé a casa las semillas de pepino de la escuela como ofrenda de paz. Comprar semillas en la escuela fue otro apéndice de la Segunda Guerra Mundial cuando la gente plantaba los jardines de la victoria. Pero vivir en el tercer piso de un edificio sin ascensor de cuatro pisos con poca luz disponible no era el lugar para cultivar pepinos. Mi madre tenía algunas macetas y tierra, y las plantaba, las regaba y las cuidaba como si tuvieran la oportunidad de vivir.

No importa la edad que tenga, visitar la oficina del director puede ser abrumador, pero mis padres tenían un plan. Se prepararon diligentemente para la reunión y se vistieron como si estuvieran asistiendo a un bar mitzvah.

"Señor. Gutman, nuestro hijo escribió verso libre. Es furor en estos días".

"Entonces, ¿qué me importa? Los poemas deben rimar", dijo el Sr. Gutman. "Ya saben poemas que riman como..." Gutman adoptó un tono de barítono regio.

> Creo que nunca veré
> Un poema hermoso como un árbol.
> Un árbol cuya boca hambrienta está presa
> Contra el dulce fluir de la tierra ... y
>   cualquiera que sea la última palabra que
>   expresa.

"Mama, la última palabra es mama, señor Gutman", dijo mi padre.

"Solo por eso, su hijo tiene una semana extra de suspensión y usted también".

"Nuestro hijo escribió verso libre, una noble tradición estadounidense con Walt Whitman, quien de hecho le robó parte a su hermana, Dorothy".

"No me eduque, soy un director. Debería haber sabido que un niño Sabelotodo proviene de padres Sabelotodo".

Cuando mis padres llegaron a casa, mi padre me dijo: "Hiciste lo correcto. Y recuerda, si te estás volviendo loco, hazlo desde el principio, para que la gente lo espere de ti. Si empiezas más tarde, piensan que algo anda mal".

Mi padre tenía razón. Puedes ser un idiota, un criminal o un empleado de la ciudad lloriqueando durante toda su vida, pero si tu comportamiento cambia más adelante en la vida, obviamente hay un problema. Especialmente si amenazas con violar las normas de la sociedad. Por supuesto, hay formas aceptables de amenazar a la sociedad, como derrocar al gobierno, como preconizaban algunos socialistas y comunistas. Pero derrocar al gobierno es abstracto y un dolor de cabeza, a diferencia de lo que los Beats se burlaban: cosas que se encuentran en la casa de alguien, o al menos pretendían tener en su casa; música, escritura, sexo y drogas.

Mis padres y yo fuimos llamados ante el juzgado de derecho más común, que se reunió en el patio. Ser miembro de una familia es como cargar con una citación judicial permanente. Lo que sea que hiciste o no hiciste, debes testificar quieras o no, y alegar la Quinta es una admisión de culpa. Dicen que eres inocente hasta que se demuestre lo contrario, pero entonces ¿por qué mantienen a la gente en la cárcel hasta que se declara inocente? El patio, como se mencionó anteriormente, es donde se cuelga la ropa para que se seque.

Si las guerras pudieran librarse sentado, mi familia dominaría la mayor parte del mundo conocido y todo el desconocido. Afortunadamente o desafortunadamente, les encantaba pelear sentados, particularmente en ese espacio confinado que parecía hacerse más y más estrecho a medida que envejecían. Asistieron todos los que pudieron, excepto Yudel, que estaba muerto, por supuesto, pero Jerry vino en lugar de Yudel y se sentó en su asiento como un derecho heredado. Esto es común entre los humanos, afirmar que una silla o lugar en el que ellos o un antepasado alguna vez se sentaron es de ellos. Y si simplemente movieran un asiento en cualquier dirección, les sobrevendría una catástrofe.

Presidió la abuela. "Nos ha llamado la atención que Dan y Dot han hecho cosas realmente estúpidas y que su hijo ha seguido sus pasos. El niño ha sido suspendido de la escuela porque usó malas palabras en un poema. Y alguien trató de tocar a mi hija".

Como siempre, mi padre había hecho sus deberes. No empiezas con comediantes ni con mi padre. "La razón oficial por la que fue suspendido fue que el poema no rimaba. Y nadie más que su marido legalmente casado tocó a Dot".

"Y ustedes dos han estado saliendo con homosexuales y consumidores de drogas".

"Algunos de los escritores y artistas más importantes del mundo han sido homosexuales y consumidores de drogas".

"¿Así que ahora eres uno de ellos?"

"Se disculpa por los homosexuales. Es un homo-pólogo, eso es lo que es", dijo Muriel.

"¿Qué es un homopólogo?"

"No lo sé, pero no es bueno".

"Se han estado vistiendo como niños trastornados".

"Esto de un hombre que usa sus corbatas como un estetoscopio sobre sus orejas".

"Todo esto es malo para el niño. Es el genio que se supone que debe alejarnos de este lío. ¿Recuerdas? Y no estás ayudando. Tú y tu buena esposa."

Fue entonces cuando mi madre intervino. *"Futz in dayn gorgel*, Muriel". (Que traducido libremente significa, "Me tiro un pedo en tu garganta").

Hubo un silencio prolongado hasta que el tío Morty preguntó: "¿Qué dijiste?"

"Futz in dayn gorgel", dijo mi madre desafiante.

"¿Cómo se deletrea eso?" preguntó el tío Morty.

"Ella simplemente te insultó y tú le preguntas cómo se escribe?"

"Ella no me insultó, solo quiero saber cómo se escribe".

"S-C-H-M-U-C-K", dijo Muriel.

"*Sha*, esto es importante".

"No lo sé", dijo mi madre, "F-U-T-"

Fue interrumpida por el tío Morty. "Solo la palabra *gorgel*".

"No lo sé. Gorgel, G-O-R-G-E-L, gorgel".

"¿Qué estamos, en cuarto grado?"

"No es así como se escribe, es G-O-R-G-Y-L, *gorgyl*".

"No es así como se escribe, pero no estoy seguro de cómo se escribe".

"Creo que es G-E-R-G-E-L".

"Nadie tiene razón y todos tienen razón. Es una transliteración ".

"¿Qué diablos es una transliteración?"

"Te dije que estaban saliendo con homosexuales".

"Hola a todos, volvamos a la razón por la que vinimos hoy".

"Esa no es la palabra en absoluto, es *haltz*. La palabra para garganta en yiddish es haltz".

"Haltz, ¿de dónde diablos sacaste haltz?"

"Tal vez fue *halz*. Así lo decíamos en nuestra familia ".

"Tu familia no cuenta".

"No recuerdo si es con una 't' o no".

"¿Cómo puedes tener dos palabras para garganta?"

"Creo que es una de esas cosas judías del tipo Litvaks-contra-otros".

"Tenemos al menos dos palabras para *schmuck*: tú y tu hermano".

Entonces mi abuela sacó pollo con latkes. Continuaron discutiendo mientras comían, escupiendo su comida como un esparcidor de sal después de una tormenta de nieve.

El truco consistía en sentarse detrás de ellos y asegurarse de que tus pies no tocaran el suelo.

Y luego hablé por única vez ese día. "¿Sabías que un árabe inventó el cero?"

Como castigo por lo que dije y por lo que dijeron que hicieron mis padres recientemente, fui recompensado con un año más con mis padres. Cualquiera que sea la recompensa que los demás esperaban de que yo fuera un genio, tardaba demasiado en llegar.

13

ÉXITO INVISIBLE

Nuevamente me suspendieron. Levanté la mano para corregir una respuesta bastante inocua pero errónea a una pregunta común: "¿Quién descubrió la electricidad?" Señalé que el viejo Ben Franklin no descubrió la electricidad, sino que cimentó la conexión entre la electricidad y los rayos. Si bien entiendo que esta puede ser una distinción innecesaria para los niños de mi edad, pensé que debía hacerse. Hay demasiados mitos, leyendas y medias verdades que se les enseñan a los niños, que solo se sentirán amargamente decepcionados más adelante en la vida por la verdad. Por ejemplo, la mayoría de los niños creen que una estrella de mar es un pescado y los cacahuetes son nueces. No lo son, y alguien debe defender las legumbres y los equinodermos. Aunque mi maestra probablemente estaba avergonzada por mi respuesta matizada, culpó a mi dedo permanentemente desfigurado frente a toda la clase como una demostración vulgar e irrespetuosa. Por supuesto, no era la primera vez que levantaba la mano, pero no era el momento adecuado. El Sr. Gutman, el director, atribuyó mi última suspensión a "arrogancia basada en la exactitud de los hechos". Mis padres ni siquiera se molestaron en presentarse en su último tribunal canguro, así que gracias a su ausencia me limitaron a un castigo de cuatro semanas.

Esto me permitió pasar tiempo con mi padre, que todavía estaba desempleado. No podía deshacerse de ciertos hábitos que adquirió mientras trabajaba en el negocio de los schmatta. Al conocer a una persona, incluidos los extraños, frotaba suavemente su cuello o puño entre el pulgar y el índice y proclamaba "Algodón" o "Rayón". Ciertas telas eran recibidas con su gesto de aprobación, particularmente las lanas bien hechas. Los sintéticos puros no lo eran. O cuando veía un abrigo, decía de pasada: "Eso fue hace tres temporadas". Medía su mundo no en años o meses, sino en estaciones, como algunos pueblos antiguos.

Los días que mi madre trabajaba en la compañía de taxis, mi padre y yo le hacíamos las compras, aunque ella nunca nos dejaba lavar la ropa. Su principal razón era "porque sí". Los días que mi madre no trabajaba, me llevaba de compras. Era como si tuviéramos una familia extensa con los Klein, Mays, Alexanders, Abrahams, Strauss y Fortunoffs. Yo era portador de compras y malas noticias.

Una vez fuimos a la ciudad, en lugar de ir de compras al centro de Brooklyn, y concluimos con una visita al Automat. El Automat era una atracción extraña y misteriosa. Una pared sólida de paneles de vidrio me recordaba a la casa de las serpientes en el zoológico del Bronx, pero aquí esperaban sándwiches. Buscabas lo que querías y luego ponías dinero en la pared, moneda por moneda. La puerta se abría con un clic y tu sacabas la comida lo más rápido posible antes de que la puerta golpeara tus dedos. Algunas personas permanecían inmóviles en busca de sus favoritos, mientras que otras se balanceaban y se movían hacia arriba y hacia abajo, de izquierda a derecha. A veces, toda la columna de selecciones zumbaba, y todo lo que veías eran destellos blancos de los uniformes de los trabajadores que rápida y misteriosamente reponían la comida. El Automat era barato y el ambiente me recordaba tanto a Coney Island como a un hogar de ancianos. Los ancianos se demoraban, fingiendo comer y no muy bien. La mayoría vestía como nosotros, pero los hombres en traje de negocios, de espaldas erguidas, bebían y comían, con sus sombreros en una silla vacía junto a ellos como compañeros. Una mujer brutalmente eficiente pero hosca convertía rápidamente el papel en monedas de cinco centavos, mientras los gritos y las risas de los clientes resonaban en las paredes de mármol. Hombres y mujeres, en su mayoría mujeres, con redecillas para el cabello, empuñando sus cucharas de gran tamaño como cetros, colocaban platos calientes en platos vacíos. Y en el centro de la cavernosa habitación, un gran y elaborado delfín arrojaba café. Nada tenía sentido para mí, y ese era su encanto.

"Siéntate aquí", dijo ella. Se fue con su pequeño puño lleno de cambio y regresó con un café, un refresco y dos rebanadas de tarta de manzana no a la moda. Nos sentamos en los únicos asientos libres junto a una mesa acosada por cuatro hombres fornidos, peligrosos en otras circunstancias, la mayoría con dientes. Se inclinaban hacia adelante mientras escuchaban, pero puntuaban sus oraciones con cejas danzantes y palmas extendidas y paralelas, y ocasionalmente mordiéndose el labio inferior al hablar. Aunque no aprendí el nombre formal o la vitalidad del método socrático hasta los doce años, en ese Automat en ese momento, me di cuenta de que los neoyorquinos practicaban su propia variedad del método socrático. La suya no es tan disciplinada ni tan refinada como la versión socrática, pero probablemente sea más eficiente y menos intimidante.

"¿Te acuerdas a Botes de Basura?" dijo uno de los grandes hombres intimidantes.

"¿Botes de basura? ¿Botes de basura? ¿Qué estás hablando de "botes de basura?" dijo otro.

"¿Conoces a Botes de Basura? ¿El tipo obtuvo su nombre porque solía comer de los botes de basura?

¿Trabajaste para Joey? Acaba de salir de Dannemora".

"Entonces, ¿qué está haciendo ahora?"

"Lavando platos en un restaurante. ¿Qué piensas?

"Entonces, ¿cómo lo llaman ahora, Sobras?"

"¿Tienes luz?"

"¿Cómo es que no tienes luz?"

"¿Por qué se supone que tengo una luz?"

"Bueno, ¿tienes trasero?"

"Por supuesto que tengo un trasero. ¿Por qué pediría una luz si no tuviera trasero?"

"Bueno, si tienes trasero, ¿por qué no tienes luz?"

"No sé por qué no tengo luz. ¿Tienes una o no?"

"Sí, tengo una, pero ¿por qué debería dártela?"

A mi madre siempre le gustó la comida que no tenía que preparar.

Además de inventar cosas que ya existían, las otras creaciones de mi padre oscilaban entre casi prácticas y apenas útiles. Con la llegada del cuchillo eléctrico, ¿qué era más lógico que un tenedor eléctrico? El tenedor eléctrico de mi padre se movía como un pequeño martillo neumático, que era excelente para ablandar la carne y a menor velocidad podía ayudar al cuchillo eléctrico, pero cuando se apagaba era perfecto para su propósito. Una cuchara eléctrica no tenía ningún sentido y ninguna de sus numerosas patentes ganaba un centavo. Añadió una goma de borrar al lápiz de golf, que de otro modo sería un lápiz.

En medio de un proyecto, usaba su cinta métrica de la misma manera que Gary Cooper llevaba su estrella de hojalata. Y en más de una ocasión, escribió una idea en una servilleta solo para usar esa servilleta para limpiarse la cara, donde su invento se marchitaría en migajas o se convertiría en una mancha de grasa.

Una mañana, mientras desayunaba y me preguntaba por qué ponían animales en una caja de cereal, mi padre me dijo: "Todo el mundo habla de labios para afuera en busca de la felicidad como se establece en la Declaración de Independencia, pero nadie sabe lo que significa. Significa tener un corazón abierto y otorgar bondad a los demás, no una obsesión esquiva con la autosatisfacción y el dinero. Eso es lo que significa." Mi primer pensamiento fue que mejor no levantar la mano en clase sobre este tema.

"La gente siempre se jacta de su automóvil, casa, vecindario o reloj", continuó mi padre, "es un método abreviado de decir:' ¡Mírame! ¡Mira lo exitoso que soy! 'Te apuesto que desde que el hombre vivió por primera vez en las cuevas, alguien quería vivir en una cueva más grande. Una cueva mejor. Una cueva más bonita. Una con ventana. O como sea que las llamaran en ese entonces. ¿Sabías que hay dibujos rupestres que tienen más de quince mil años? Mira, incluso entonces la gente quería colgar cosas bonitas en sus paredes, para poder presumir de ellas. Y apuesto a que los hombres de las cavernas fueron los primeros en decir: '¿Qué pensarán los vecinos?'. Pero hay cosas más importantes que cosas. Como ser una buena persona. O ser una persona caritativa. O ser un buen padre. Así que tú y yo vamos a crear una fórmula en la que la gente pueda presumir de algo que vale la pena. Podrán decir: 'Soy un nueve coma tres en la escala de buena persona, o soy un nueve coma seis en la escala de buenos padres'. Revolucionaremos la forma en que las personas hablan de las otras personas. Haremos que lo importante sea importante. Algo de lo que puedan estar orgullosos, además de cosas que puedes comprar. Lo llamaremos *Éxito Invisible*. ¿Cómo suena eso?"

"Genial, papá", dije mientras sorbía otro bocado de formas de animales.

"Pero recuerda, el camino al infierno está empedrado de buenas intenciones, así que tendremos que restar puntos por mal comportamiento, lo que agregará algo de equilibrio. Pero primero hagamos una lista de las cosas que admiramos en los demás. ¿Qué admiras?"

Por supuesto, a esa edad, mi experiencia era extremadamente limitada. "Hacer reír a alguien y que sople leche por la nariz".

Por la mirada de mi padre me di cuenta de que estaba lejos de su ideal jeffersoniano.

Durante los días siguientes, la cabeza de papá levitó quince centímetros por encima de su mesa de trabajo mientras buscaba los mejores atributos de los humanos. Revisó sus libros, tomando notas frenéticas. Llamaba a la gente y les preguntaba qué era importante para ellos, colgaba antes de que concluyera la conversación y se alejaba de los amigos que encontraba en la calle antes de que terminaran de responder la misma pregunta. Veía la televisión con un bloc de notas a su lado.

Entonces, un día, agarró un trapo gris y empujó el polvo viejo de su pizarra hacia un lado para permitir un poco de polvo nuevo. Pronto, palabras de honorables características gritaron en la pizarra. Tolerante. Fiel. Creativo. La pizarra pronto se llenó de palabras y frases en todos los ángulos. Desinterés. Amante de libros. Vejiga grande. (Era un símbolo de no tener que imponerse a los demás). Algunas palabras se inclinaban sobre otras, y a medida que avanzaba el día, las letras se volvían cada vez más pequeñas a pesar de que mi padre decía que su tamaño no era una indicación de su importancia. Confianza tranquila. Caridad. Fui a City College. (Otra frase simbólica que significa que gastaste el dinero sabiamente).

Se quedó mirando su montaña de palabras y pensó que era hora de asignar calificaciones positivas y negativas a cada palabra para crear una fórmula precisa. Ciertos rasgos como la honestidad, la compasión, la independencia y la caridad de espíritu eran claramente más importantes que otros, pero ¿qué pasa con el bailarín ingenioso y hábil? Guardaba las negativas como quisquilloso, mezquino, poco caritativo, implacable, intolerante y asesino en una libreta de papel amarillo rayado para que no contaminen las buenas palabras en la pizarra. Parecía contento con su progreso hasta que se dio cuenta de que había cualidades neutrales como campechano, impasible, carismático y decidido. Luego comenzó un nuevo debate consigo mismo. A veces, sus labios se movían. "¿Debería darles una calificación de cero? Pero eso los degrada". En otras ocasiones parecía dolido al tomar sus decisiones. Y cuando mi madre dijo: "Lo que es importante para ti no es necesariamente importante para los demás", respondió: "Entonces debo hacer que sea importante para ellos."

"Sé lo que necesito", dijo una tarde. "Un algoritmo. Necesito un algoritmo". Me explicó los componentes de un algoritmo y cómo eso ayudaría a crear una fórmula mejor, pero cuando le dije que no entendía, dijo: "No te preocupes, aunque la mayoría de los niños prodigios sobresalen en matemáticas y música porque en ambos hay una lógica".

Yo no estaba preocupado en lo más mínimo.

Luego agregó: "Sabes, hay diferentes tipos de genios. Hay genios creativos como Beethoven y Picasso. Luego están los genios como Einstein, que toman lo que existe y lo explican de una manera que otros pueden entender y usar. Y luego están los eruditos, genios como Miguel Ángel y Benjamín Franklin que saben todo tipo de cosas y luego sus ideas se estrellan y explotan en sus cerebros para crear conceptos y cosas nuevas y más grandiosas. Y ... "

Me pregunté cuántas ideas se necesitaban para una explosión y ¿dolía?

"... Serás un tipo diferente de genio. Aquel que ve el mundo con claridad. Uno que deja a un lado la paja, abre un camino en la niebla y sabe que ambos lados de una discusión rara vez son iguales".

"¿Es bueno eso?" Yo pregunté.

"Yo espero que sí."

"¿Qué tipo de genio eres, papá?"

"No soy un genio, pero soy lo suficientemente inteligente como para no decirle a otras personas que el algoritmo fue descubierto por un árabe".

Mi madre tenía una actitud diferente. Cada vez que escuchaba la palabra algoritmo, estallaba en una imitación de esa cantante Ethel Merman, "Algoritmo, tengo música, ¡quién podría pedir algo más!" Y luego cantaba con ella aunque no fue hasta años después que entendí el chiste.

No solo fuimos afortunados de que mi madre todavía tuviera su trabajo en la compañía de taxis, sino que una noche llegó a casa con una bonificación. Ella también vivía según las teorías, una era cuanto más grande era el lotario de librea, más grande era el ladrón, y Sam Melnick era el que más coqueteaba. Durante semanas siguió sus hojas de viaje. Un taxista se quedó con el 45 por ciento de las tarifas y todas las propinas. La compañía de taxis obtuvo el otro 55 por ciento. Se requería que los conductores amateurs mantuvieran un registro escrito de cada tarifa, pero a veces no lanzaban la bandera en el medidor y llegaban a un acuerdo con el pasajero. Negociaban una tarifa menor que la cantidad registrada habitual, y el taxista se lo llevaba todo. Esto generalmente ocurría en viajes más cortos, por lo que era más fácil de ocultar. Los jefes toleraban a regañadientes algunos roces pero, por supuesto, despedían a los delincuentes más grandes. Durante semanas, mi madre monitoreó cuidadosamente las hojas de viaje de Melnick y su tiempo en vivo, que es cuando un conductor tenía un pasajero. El tiempo en vivo de Melnick y las tarifas reportadas eran sustancialmente más bajas que las de los otros conductores en los mismos turnos. Mi madre le informó al jefe, quien le siguió la pista a Melnick durante dos días, y éste confirmó que estaba robando. Por esto mi madre recibió un sobre con agradecimiento.

Y mientras nos contaba con orgullo la historia abrió el bono y eran cinco dólares. Mi madre miró el sobre con un ojo para ver si había más. Lo acercó a la luz, sopló y finalmente lo sacudió tan fuerte como pudo. "Al menos Melnick ya no me molestará".

Mi padre también quería contribuir con dinero y consiguió la mayor parte de los trabajos a tiempo parcial. Una larga tradición de Nueva York es comprar los periódicos dominicales el sábado por la noche. Paquetes de papeles salían volando de un camión de reparto que pasaba, que rara vez se detenía, y alguien en el quiosco tenía que ensamblar las secciones. Y ese era el trabajo de mi padre. El *New York Times* formaba una masa plegada, mientras que el Daily News siempre tenía inserciones publicitarias de orejas de perro asomando. La gente miraba para asegurarse de que todas las piezas estuvieran allí y luego las verificaba dos veces para asegurarse de que se incluyeran la sección de la revista *Times* y la reseña del libro. Mientras los acontecimientos del día pasaban por sus dedos, mi padre sentía que sabía lo que estaba pasando antes que los demás. Por ello recibía periódicos gratuitos durante la semana y algunos puros. Como no fumaba, vendía los puros y siguió trabajando en *Éxito Invisible* hasta que un día decidió que me había ignorado por su proyecto y que deberíamos construir un barco modelo juntos.

Compramos un bloque de madera de balsa, unos palos como mástiles y dos cañones diminutos, que protegían al barco de nada en particular. Dibujó un plano y dio forma a la madera de balsa en un casco. Entonces fue mi trabajo alisar la madera con papel de lija fino y soplar el aserrín en el aire. Mi padre hizo pequeños agujeros, los rellenó con pegamento y plantó los mástiles. Grabó suavemente patrones (desiguales) aquí y allá para parecerse a finos detalles de acabado y colocó un cañón en la proa y el otro en la popa. Pensé que sería gracioso si usáramos un par de ropa interior vieja para las velas, a lo que mi padre accedió rápidamente, y cortáramos la ropa interior en triángulos dentados y los sujetáramos al mástil con hilo grueso. Barnó el barco, pintó algunos adornos y lo bautizó USS *Skidmark*.

Condujimos hasta Prospect Park y alquilamos un bote de remos. Creo que fue Muriel quien me dijo cuando fui mayor que probablemente había sido concebido en un bote de remos en Prospect Park. Mis padres no podían pagar un crucero y esto era lo mejor que podían hacer. La imaginación de mis padres era genial para tener nociones tan románticas en un bote de remos tosco alquilado por horas. Los remos no tenían alfileres, y los remeros aficionados pateaban el agua con furia para capturar un remo perdido. Tablas de madera implacables representaban los asientos y, al final de la temporada, los empleados del Departamento de Parques volvieron a pintar los botes de remos en gris institucional y nunca lijaron los bordes ásperos.

Mi papá y yo tomamos un remo y nos dirigimos hacia el centro del lago, donde mi papá lanzó nuestro barco modelo con un gran empujón. Inmediatamente comenzó a listar. Una fuerte brisa barrió el lago, atrapó nuestro barco y lo hizo inclinarse más hasta que la vela de la ropa interior se empapó y hundió sin ceremonias el USS Skidmark.

No me decepcionó en absoluto. Nunca había esperado que flotara.

14

CHICO BOLSA, HOMBRE BOLSA

No me importaba dormir en la cama del perro. La última vez que me quedé con Fern era de una estatura mucho más pequeña y me abarrotaba fácilmente en el apartamento. La cama, un cómodo cojín de trece centímetros que mide un metro diez de largo por ochenta y seis centímetros de ancho, diseñado para caninos grandes de treinta a cuarenta kilos, encajaba perfectamente. ¿Por qué debería pagar Fern por una cama normal si mi período era el año habitual? ¿Y quién sabía lo grande que sería en mi próximo turno? Durante mi primera gira con Fern y Yudel, en las noches en que no hacía calor, dormía con Jerry. Emitía el mismo olor a queso rancio que su padre. Por lo tanto, la cama para perros fue una solución inteligente y bienvenida, ya que no se usaba y no tenía olor.

Si Fern estaba mirando, me rascaba la cabeza con un movimiento agitado de la pata y fingía que estaba arrastrando la cola en un círculo hasta encontrar un lugar cómodo antes de dejarme caer en un rizo. Fern no solo no se reía, pensaba que ese era mi comportamiento natural. Ella lo llamaba la cama de un niño, y por función tenía razón, y no mencionaría esto en absoluto si no fuera por los eventos de una noche y las consecuencias que siguieron.

El Chazzer quería esclavizar a Jerry y Fern. Las provisiones exactas y el precio de venta de la tienda de comestibles murieron bajo el camión de basura que mató a Yudel, y ahora el Chazzer se sentía libre de reclamar la propiedad de la tienda de comestibles y todos los privilegios correspondientes. Fern y Jerry pensaban que no estaban en posición de cuestionarlo. Obligó a Jerry a usar un uniforme blanco como la harina y un gorro plisado cuando hacía los panecillos, aunque los hornos estaban en el sótano. Cuando salía a tomar aire, parecía un chef francés en un campo de desplazados.

Jerry, sin embargo, todavía usaba su viejo cinturón que colgaba tan flojo y retorcido que parecía que su bragueta estaba abierta. Para complacer al Chazzer, Jerry probó algunos trucos básicos, como el ardid de las expectativas, diciéndole a alguien que entregaría en una hora y llegar en quince minutos. Por supuesto, continuó usando la misma táctica rancia mucho después de que todos se dieron cuenta.

Se suscribió a una publicación comercial donde se enteró de que la mayoría de la gente conoce el precio de la leche, los huevos, el pan y los plátanos, pero poco más. En consecuencia, bajó el precio de esos artículos y subió a los otros. Después de un breve período, muchas personas le compraron pan, huevos, leche y plátanos, pero huyeron a otro lugar en busca de lo demás que necesitaban. Jerry se negó a arreglar los crujidos en el piso o reemplazar una bombilla fluorescente olvidada con la excusa transparente: "Así es como mi padre mantenía la tienda, así que debe ser como él quería".

Algunos días ayudaba en la tienda, pero siempre evitaba el crayón negro. Fern y Jerry usaban el crayón negro para contar las compras en una bolsa de papel marrón. Fern y Jerry lamían el lápiz antes de usarlo. Puede que haya sido mi imaginación, pero creo que el crayón negro creció de todo el riego. Los ancianos habituales miraban de arriba abajo para ver si los números y las sumas eran precisos. Afortunadamente, puedo hacer cálculos matemáticos simples en mi cabeza. Algunos clientes reconocieron esta habilidad limitada y probaban mi habilidad pidiéndome que agregara números aleatorios. Cuando actuaba correctamente, me daban un gusto, como si fuera una foca entrenada. Me fue muy bien en matemáticas en la escuela hasta que un día el maestro agregó letras a las ecuaciones. ¿Por qué necesitan x, y, a y b si tienen todos esos números a su disposición? ¿Incluidos los pequeños que colocan en la esquina superior de los números más grandes? Nunca tuvo sentido. ¿Los profesores de español agregan números al azar en medio de una oración?

También empaqué comestibles, saqué pedidos de los estantes, limpié el polvo de productos enlatados que rara vez se pedían, como remolacha y chucrut enlatado, y volví la parte hinchada de las latas hacia la pared. Algunos clientes temían que empaquetara los huevos y el pan debajo de las grandes cajas de detergente y pesadas botellas de refresco Dr. Brown's Cel-Ray. Debo admitir que alenté este miedo, especialmente en la mujer mezquina con el pelo saliendo de un ántrax gigantesco. Fingí poner primero los perecederos y luego, con una epifanía de sensibilidad, cambié el orden de entrada. No soy dado a la nostalgia a menudo, pero ya no ves crecimientos de mamut con pelo brotando de ellos.

Al menos una vez al día, Jerry me decía: "Si no fuera por ti, no estaríamos en este lío".

"No conducía el camión de la basura", decía a veces, lo que también tenía otros significados que, por supuesto, Jerry no entendía.

Una tarde, dos detectives vinieron a interrogar a Jerry. Vestían como los Chicos pero no tan bien a la medida. Los policías tenían un promedio de 1,80 y cada uno poseía ese inconfundible semblante de policía duro: el caminar con las piernas arqueadas, el mentón tenso, el pecho hacia afuera, la mirada de "tengo que disparar". Hubo una serie de robos domiciliarios en el barrio, y la policía dedujo que los robos ocurrieron mientras la gente se encontraba de vacaciones, ya sea por un fin de semana o dos semanas. ¿Y quién sabía más sobre los hábitos de sus vecinos que Jerry? Cuando los clientes no estaban, Jerry sabía que no debía hacer entregas, y cuando estaban, siempre charlaba con ellos sobre esto o aquello. Dudo que hablaran de Wittgenstein y Mozart, sino de la familia, los chismes y eventos inmediatos como bodas y vacaciones. Detalles y eventos simples pero reveladores de la vida de otras personas, si prestas atención.

La policía lo interrogó sobre su paradero en días específicos en momentos específicos. A lo que Jerry respondió: "Todos los días estoy en la tienda desde las siete y media de la mañana hasta las nueve de la noche y luego salgo con la pandilla".

"La mayoría de los robos ocurrieron después de las nueve de la noche".

"Los chicos con los que salgo te dirán que estuve con ellos".

"Así que es una pandilla la que está cometiendo los robos".

"No es una pandilla con pistolas y navajas automáticas, es solo un grupo de tipos que se apoyan en los autos y hacen creer que saben cosas", dijo Jerry.

"Entonces, ¿por qué lo llamaste una pandilla?"

"¿Quieres que lo llame una manada de dermis

como elefantes? ¿No es así como se llama un grupo de elefantes, un paquete de dermis?

"¿Qué eres, un sabelotodo?"

"No soy un sabelotodo. Solo intento responder tus preguntas. Dios."

"Te tenemos en la mira, así que no vayas a ningún lado".

"¿Puedo hacer mis entregas?"

"¿No eres demasiado mayor para andar en bicicleta?"

"No voy a poner tarjetas de béisbol en los radios y correr por la acera. Me gano la vida".

"Está bien, no vayas demasiado lejos".

Los policías en el supermercado no eran buenos para los negocios.

No está claro qué atrajo a Chazzer a Fern o Fern a Chazzer. Cuando era niño, asumí que era natural, pero en retrospectiva, fue desconcertante. El Chazzer podría haber pensado que Fern estaba cumpliendo con su obligación contractual. Y Fern podría haber pensado que la seducción aseguraría el futuro de la tienda de comestibles para ella y Jerry. Ella entró en la relación sin saber su nombre real, a qué se dedicaba, dónde vivía o si estaba casado y tenía hijos. No puede haber una razón válida, excepto que las personas feas también necesitan sexo. Y aquí es donde entra la cama para perros.

Una noche, Fern llevó al Chazzer a su habitación. No se dieron cuenta de que había arrastrado la cama de perro a la habitación de Fern porque Jerry había tenido una pesadilla en la que una mujer le dio la bienvenida a su casa después de uno de sus avances torpes. El abrigo negro del Chazzer, que vestía incluso en pleno verano, no era un símbolo de su lealtad al judaísmo ortodoxo, sino su a oficina. Un bolsillo lleno de trozos de papel encriptados, dispuestos al azar en un orden que quizás tenía sentido para él, abultaba más que los demás. En otro bolsillo había dos billeteras repletas de dinero en efectivo, recibos con orejas de perro y cheques. Bolígrafos con clickers a medio masticar, envoltorios arrugados y cartón de su adicción a los Twinkies y Mallo-Cups llenaban lo que de otra manera serían espacios vacíos. Lo sé porque cuando el Chazzer se desnudó esa noche, arrojó el abrigo en mi dirección, que también usé como manta.

Por la mañana, tanto él como Fern se sobresaltaron cuando se dieron cuenta de que yo estaba presente.

"¿Cuanto tiempo llevas aqui?"

"Desde septiembre."

"No, quiero decir, ¿estuviste aquí toda la noche?"

"Sí, Jerry tuvo una pesadilla".

"¿Qué escuchaste? ¿Qué viste?"

"Nada. Duermo como un bebé". Lo cual era falso, ya que las instrucciones incumplidas y las recriminaciones seguidas de algunas imitaciones de animales habían llenado la oscuridad.

"Eso es bueno", dijo el Chazzer.

"¿Estás seguro?" preguntó Fern.

"¿Se suponía que iba a ver algo?"

"No, no", cantaron ambos.

Hombres como el Chazzer son insensibles a la humillación; por lo tanto, no conocen disculpas. Pero por alguna razón le conmovió la vergüenza de Fern. Uno solo puede deducir que el sexo para él era tan esquivo como una sonrisa natural. Y sin un historial de reparaciones ni una pista de lo que podría agradar a un niño, hizo lo que era instintivo, lo que mejor sabía: me llevaba con él en sus rondas de negocios.

Me escondió debajo de su abrigo como una escopeta recortada mientras íbamos de apartamento en apartamento, cobrando alquileres. Era el primero del mes, pero el Chazzer dijo: "Estas personas pueden esperar legalmente hasta el día diez para pagar, pero no saben nada mejor. Y no se lo vas a decir, ¿verdad?"

"Bien," dije debajo de su abrigo. Obviamente, no quería que sus inquilinos me vieran, pero me pregunté cuántos notaron un par adicional de pies muy pequeños cuando abrieron la puerta.

Mientras pasábamos de un pomo de una puerta a otro, el Chazzer sabía mecánicamente lo que cada persona debía. Me deslizaba el dinero en efectivo, que arrojaba en una bolsa de papel marrón de la tienda. Justo antes del almuerzo, llamó a una puerta y respondió el Sr. Gutman, el director de mi escuela. Escuché su voz distintiva a través del tweed andrajoso. Cuando traté de mirar a través de las solapas de la chaqueta, el abrigo se abrió de golpe. El Sr. Gutman me miró y miró al Chazzer y dijo: "Lamento haber sido duro con el chico. No volverá a suceder. Saluda a sus padres".

"¿Dónde está mi alquiler?"

"Espera, lo buscaré".

"No tengo todo el día".

Luego, el Chazzer me llevó a un deli judío para mi almuerzo favorito: un sándwich de lengua, un knish de papa al horno y un refresco de crema. A la mayoría de los niños, y a la mayoría de los adultos, no les gusta la lengua. De la misma manera que los hombres se agarran la entrepierna cuando alguien más es golpeado allí, la gente no puede comer lengua sin pensar en morderse la suya.

En el medio de cada mesa había un cuenco de plata desgastado y abollado con un borde adornado, lleno de encurtidos de varios tonos de verde. Cuanto más profundo era el verde, más aguda es la picadura. Granos de pimienta se balancearon en la salmuera. Otro cuenco de plata contenía una ensalada saludable, que es ensalada de col pero con una base de vinagre en lugar de mayonesa. La palabra salud es una concesión, una fachada para todo lo demás que comiste. Servías la ensalada saludable en tazones pequeños, apropiadamente llamados platos de mono.

En los delicatessen judíos la carne era el rey: carne en conserva, pastrami, pechuga, salami, lengua y algo llamado carne enrollada. Nadie sabía por qué estaba enrollada, qué había en el rollo o quién lo hizo, lo que puede explicar su pérdida de popularidad.

Para ser camarero en una tienda de delicatessen, tenías que ser un miembro del sindicato que tuviera al menos ochenta años y un resentimiento de noventa. Te desafiaban a que les dieras propina. Cada tienda de delicatessen asignaba a un camarero para ser amable, lo que requería que contara chistes tan antiguos como la caja de cerillas se calza debajo de las patas de la mesa. Todos tenían respuestas practicadas.

"Si no puede pronunciarlo, no lo pida".

"Si quiere adelgazar, beba un vaso de agua y coma una zanahoria".

"No me pregunte; solo trabajo aquí".

Si bien la comida era satisfactoria para el alma, el deli estaba envuelto en una atmósfera de conflicto. El aire estaba denso con el aroma de las carnes ahumadas y la humedad de las mesas de vapor. Los meseros agarraban enormes trozos de carne con horquillas del tamaño y la forma que blandía la multitud enfurecida de *Frankenstein*.

Para los pedidos de comida para llevar, los camareros equilibraban la carne sobre una rodaja de papel encerado y la arrojaban a la balanza, donde aterrizaba como un piloto de combate que regresa a un portaaviones. Los camareros dejaban los cubiertos sobre la mesa como si los tenedores y cuchillos estuvieran enfermos, y arrojaban platos calientes de sopa sobre la mesa con desdén. El centeno envasado que enmarcaba los sándwiches se volvía más pastoso con cada bocado hasta que desaparecía entre tus dedos. Cerca del cajero, en lugar de una vitrina de vidrio transparente donde la luz brillaba sobre los montones de ensalada de papas y los charcos de hígado picado, los espejos brillantes se burlaban de ti por lo que comías. Esta era nuestra versión de la buena mesa, pero no tenía nada de elegante.

"Ahora eres dueño de Gutman", me dijo el Chazzer.

"¿Qué quieres decir?"

"Él te tiene miedo ahora, porque me conoces".

Mi sándwich sabía aún mejor.

"¿No le vas a contar a Fern lo que hicimos hoy?" preguntó el Chazzer. Esto era mitad pregunta, mitad amenaza.

"¿Qué debo decirle?"

"Que fuimos a un juego de pelota".

"Está bien", le dije, aunque los Dodgers se acababan de mudar a Los Ángeles, nadie de Brooklyn apoyaba a los Yankees, y era diciembre.

Una tarde, tal vez una semana después del incidente de la cama del perro, mi abuela vino de visita, acompañada por la Sra. Tillitsky, a quien yo llamaba tía Tillie. Ella era un poco más alta que yo con un corte de pelo de cuenco como Moe de *Los Tres Chiflados*, labios estrechos y gafas de la mitad de su cabeza. Creo que mi abuela me presentó a la tía Tillie debido a sus muchas preocupaciones. Además de su temor fundado de que Fern y Jerry fueran densos como un pastel de carne demasiado cocido y no pudieran contribuir a mi avance intelectual, Fern también le contó a alguien que le contó a mi abuela lo que sucedió con el Chazzer, y temía que yo pudiera llevar un cicatriz sexual a largo plazo. Mi desdén por el trabajo escolar se hizo más audaz ya que no tenía que cumplir con las reglas en la escuela porque tenía a Gutman en mi bolsillo trasero. Sabían que pedí prestados libros de la biblioteca sobre diversos temas e incluso devolví algunos, pero eso no pareció importar.

"¿Sabes por qué estoy aquí?" preguntó la tía Tillie.

"¿Porque mi abuela tiene miedo de que yo sea un idiota cuando sea mayor?"

"Creo que eso es lo que todas las abuelas temen en secreto, por eso dicen lo contrario".

"¿Muestro signos de ser un idiota?"

"Aún no."

"Te traje una guitarra y te enseñaré algunos acordes simples", dijo la tía Tillie. "Con una guitarra puedes conmover las almas y hacer que la gente cante como lo hace Pete".

Ella era una de las pocas amigas de mi abuela que no jugaba ni mah-jongg ni canasta. Nadie me dijo mucho sobre ella, excepto que una vez fue profesora de inglés. El Sr. Tillitsky murió hace años de un accidente de violonchelo, cuyos detalles son vagos ya que él era un músico profesional, pero aparentemente no era cuidadoso. Entonces inventé una vida para ella. Había sido una guía para Stanley y Livingstone. Una espía durante la Segunda Guerra Mundial. Una francotiradora para el Irgun. Solía cantar en Broadway. Y solía ser más alta, pero ser baja le permitió pasar desapercibida cuando necesitaba hacerlo.

La tía Tillie olía a Old Spice, una fragancia que pensé que estaba reservada para los ancianos, y un pañuelo alisado siempre asomaba por su manga. Mantenía esa sensibilidad de principios del siglo XX de que el mundo debe ser un lugar mejor a partir de este momento, y solo se reía de los actos inocentes de los niños y las bromas suaves y nunca de las desgracias o insultos ajenos. La tía Tillie siempre escuchaba lo que decían los demás y nunca tenía las siguientes palabras en los labios, por lo que podía volver inmediatamente la conversación a ella o a sus experiencias. Al que llamaba "el más estrecho de los prismas".

"¿Sabes que estaba en la lista negra cuando tenía cinco años?"

"Eso es un logro".

"También tengo antecedentes policiales".

"Eres muy activo".

"¿Quieres ver mi dedo desfigurado?"

"No, lo he visto en otras personas".

"Si eras profesora de inglés, ¿por qué no me trajiste libros?"

"¿Quién dijo que era profesora de inglés? Pero no te traje ningún libro, porque no quería que pensaras que un libro era más importante que otros".

"¿Cómo es que llegaste ahora?"

Llevaba un vestido verde y amarillo y tenía un bolso lleno de caramelos duros. Caramelos duros, redondos y pegajosos que siempre se adhieren al celofán con los extremos retorcidos que de otra manera podrían pasar años en un pesado cuenco de vidrio tallado esperando a ser desechados. Hacía un sonido divertido de parloteo cuando los masticaba en lugar de chuparlos como estaba previsto.

"Estaré entrando y saliendo de tu vida. A veces, cuando me necesitas, otras cuando no. ¿Sabes lo que significa revolotear?"

"¿Quizás hoy, no mañana?"

Su sonrisa me perseguía, porque era agradable sin razón aparente. Por esa y muchas otras razones, ella también fue la primera persona en asustarme. Eso me gustaba y lo necesitaba.

Un par de semanas después, los detectives regresaron y le dijeron a Jerry que ya no era sospechoso porque habían hecho un arresto. Dijeron que atraparon a dos peluqueros del barrio por los robos. El barrio ya lo sabía.

Durante su visita inicial, había hablado con la policía fuera del alcance del oído de Jerry. "Jerry no es lo suficientemente inteligente como para conectar a las personas que están ausentes y los robos, y mucho menos para entrar sin dejar una pista y cómo cercar las mercancías".

"Mira chico, la estupidez nunca es una buena defensa".

"Lo es en el caso de Jerry. Echa un vistazo a los barberos y a los chicos que peinan a las mujeres. La gente se siente cómoda allí y las vacaciones son algo de lo que la gente se jacta ".

"¿Cómo sabes sobre estas cosas?"

"Crecí en Brooklyn".

Por supuesto, no querían darle crédito a un niño de mi edad por resolver un caso. Uno me dijo: "Todavía no sé de dónde sacaste tu información, chico, pero es sospechosa y te vamos a vigilar".

Con esa buena noticia, Jerry se escabulló en su bicicleta sin un producto en la canasta. Unos blancos, otros sucios, las cuerdas de su delantal ondeaban con el viento, recordando las coloridas serpentinas de su primera bicicleta con ruedas de apoyo.

15

NINGUNA BUENA ACCIÓN

Cuando regresé a Muriel y Tummler para mi próxima administración, mi antiguo lugar debajo de la mesa de la cocina me estaba esperando, con las estrellas y formaciones asimétricas que una vez dibujé. Ninguno de los cuales se parecía en nada a la realidad.

Esta vez, mientras yacía quieto, mis manos y pies ahora golpeaban las patas de la mesa y las sillas. Si movía esas sillas, Tummler y Muriel se tropezarían con ellas en medio de la noche cuando llamaba el baño. Para prepararme para ir a la cama, y más importante que lavarme los dientes, barría el piso en busca de migas y otras porquerías.

Normalmente, cuando pasaba de una familia a otra, los eventos cambiaban, pero la gente rara vez lo hacía. Esa similitud creaba estabilidad con un elemento de hastío. Pero en esta casa, todos y todo parecía espasmódico y cinético.

Tummler prestaba poca atención a lo que estaba pasando con la familia. Estaba tratando de mejorar su fracasada carrera de cómico. No podía darse el lujo de dejar su trabajo en la ciudad y trabajar en los clubes a tiempo completo. Necesitaba su pensión de la ciudad, por escasa que fuera. Su acto no era lo suficientemente moderno para los cafés y las articulaciones del sótano eran aún más nerviosas. Pero algunos viejos amigos le conseguían conciertos por cinco dólares la noche, abriendo para cantantes durante la semana en algunos de los clubes nocturnos más pequeños de Brooklyn.

Tummler convirtió su existencia en el servicio civil en una persona cómica, cambiando su nombre a "el Cárdigan Mostaza", por si acaso algún pobre recordaba su acto de Catskills. Llevaba un suéter abotonado caído, un chaleco antibalas de un trabajador de la ciudad. Sus bolsillos cansados contenían trapos de mocos usados y migas y celofán arrugado de galletas. Justo antes de subir al escenario, se rociaba con un poco de mostaza. Para él, este toque final encarnaba al *schlub* titular.

"Mi esposa me vuelve loco. Y luego tenemos sexo".

"Mi hija es tan cuadrada que se escapó y se unió a la biblioteca".

"Mi hijo y yo tenemos mucho en común. Yo voy a un templo reformado y él va al reformatorio".

Exhumó viejos fragmentos de comedia de sus días en Catskills y los anotó en pequeños trozos de papel que se encuentran por todo el apartamento. Pero contó un chiste contrario a la imagen de Cardigan Mostaza. "El amor es como un inodoro caliente. Lo disfrutas, pero no sabes quién estuvo allí antes que tú". Tummler llamó a este chiste "humor perspicaz" y pensó que era más sofisticado y sabio. Si pudiera escribir algunos más de estos, tal vez podría trabajar en los cafés. Pero no pudo "meterse en el chiste", como dicen los cómicos, ni crear otros similares. De modo que siguió trabajando en los clubes que olían a trapos amargos de bar.

Una noche, mientras trabajaba en un club, añadió un nuevo chiste. "Mi familia judía es tan estúpida que la gente piensa que somos italianos".

Eso llevó a la gerencia del club a llevarlo al callejón trasero. "¿Conoces ese chiste? Tendremos que maltratarte un poco".

"¿No les gustó el chiste?"

"Sí, nos gustó, seguro. Pero tenemos que salvar las apariencias".

"¿Todavía puedo contar el chiste?"

"Claro, pero tenemos que hacer esto cada vez".

"¿Quizás puedan hacerlo más leve cada vez?"

En lo que consideraron un golpe magistral, los padres de la PTA de la escuela PS 225 eligieron a

Muriel como su presidenta. Muriel naturalmente consideró esto como un cumplido, aunque en realidad fue elegida porque era impermeable al dolor y la razón. Parecía la candidata perfecta para manejar maestros obstinados, padres delirantes y el glaseado de los cupcakes en las ventas de pasteles. Aunque no tuvo oposición, dio un discurso de campaña / aceptación salpicado de clichés, amenazas y comentarios inexplicables.

"No toleraré a los malos maestros. Mi hijo, que seré la primera en admitir que no es perfecto, tenía una maestra que estaba muerto del cuello para arriba. No la mencionaré por su nombre, pero todos saben quién es. Ella es la que se divorció cuando su esposo se fugó con otra persona. ¿Y quién podría culparlo? Lo sé a ciencia cierta porque mi amiga Frieda me lo dijo. Así que tengan cuidado con lo que dicen en casa porque los lanzadores pequeños tienen orejas grandes. Pero si me eligen, no se preocupen. No actuaré como un gran macher. Gracias. Recuerden que los lanzadores pequeños tienen orejas grandes".

Su posición como presidenta de la PTA facilitó mi reingreso a la escuela. Creo que ese año se suponía que yo era un primo de Iowa. Leí un poco sobre Iowa, aunque eso fue realmente innecesario ya que nadie de nuestro vecindario había visitado Iowa. Los registros de mis escuelas imaginarias de Iowa, a menudo y sin cuidado, se perdían en el correo.

Muriel no entendió su nuevo cargo, ni nadie se

molestó en explicar sus responsabilidades. Y es dudoso que, si se las hubieran explicado, las hubiera cumplido. Un viernes por la mañana, Muriel apareció en la escuela vestida con una falda azul, una blusa blanca middy que tiraba de los botones, rematada con un gran lazo rojo, como un auto en Navidad.

"Voy a ser la primera presidenta de la PTA en presentar personalmente la bandera estadounidense en la asamblea estudiantil del viernes", le dijo a cualquiera que quisiera escucharla.

Después de que los niños se sentaron y se callaron, Muriel marchó por el pasillo central del auditorio mostrando con orgullo los colores, izada en una sola correa. Detrás de ella, una hilera decidida pero tambaleante de niños de nueve años llevaba las banderas del estado de Nueva York y la ciudad de Nueva York acompañadas por una guardia de honor con cara de piedra.

—Miren bien agudo niños. —ordenó Muriel.

Se elevaba más de un pie por encima de todos los demás, su arco casi tocando el techo, y se elevó aún más cuando el séquito subió las escaleras hacia el escenario del pasillo. En letras mayúsculas doradas en negrita sobre la cabecera de las pesadas cortinas, brillaba una palabra: "Asbesto". Otro ejemplo de lo que alguna vez pensamos que brindaba seguridad.

En las reuniones mensuales de la PTA, ella impuso las "Reglas de orden de los ladrones" en las escasas reuniones. Había una agenda formal y las habituales discusiones tortuosas, en las que Muriel se ponía del lado de lo que tuviera sentido para ella en ese momento. Entre algunos padres bien intencionados, surgieron murmullos sobre el juicio político de Muriel. No podían entender cómo fue elegida en primer lugar, pero su sentido de la decencia fue en vano. Eran pacifistas que intentaban asesinar a un asesino.

Abundaban las acusaciones de que Muriel amenazó a mis profesores, de que si no me daban A, encontrarían a Skippy / Basil como un alumno en su clase. Aunque estas acusaciones nunca fueron probadas, coincidieron con la impresión de Skippy / Basil en los Boy Scouts. Ningún Scout parecía más siniestro con su uniforme oficial. Llevaba su camisa azul abierta para dejar al descubierto algunas palabras ininteligibles que había grabado en su propio pecho.

Una mañana, de camino a la escuela, Skippy / Basil se envolvió el puño con su pañuelo amarillo.

"¿Qué estás haciendo?" Le pregunté.

"Si golpeo a alguien, esto protegerá mis nudillos de magulladuras. Sin evidencia."

"¿Eso está en el manual de Boy Scout?"

"¿Cómo lo sabría? Ni siquiera las narices marrones lo leen".

Durante la ceremonia anual de premios, Skippy / Basil recibió dos insignias al mérito con la vaga ilusión de que se las ganó. Ambas insignias, el diseño de aviones y el cultivo de cítricos, se habían suspendido años antes. Pero el jefe de exploradores sitiado los encontró en el fondo de su cajón de calcetines y los convirtió en una presentación formal. La orgullosa Muriel los cosió obedientemente a su uniforme, un poco locos, pero al menos no prendidos. Probablemente fue el único Boy Scout al que nunca se le permitió iniciar una fogata.

Hasta ahora, Jane llevaba los problemas de Skippy / Basil como una trabajadora de ayuda humanitaria en una nación devastada por la guerra. Los esfuerzos fueron bien intencionados pero infructuosos. Y podría haber sido una de las razones por las que recurrió a las religiones orientales. Jane se convirtió en jainista.

Una tarde, Jane pidió mi ayuda para hacer un mandala en la arena de Coney Island. Sus cánticos de purificación atraían a personas que normalmente no tenían ningún interés en el budismo. Usamos palitos de helado y nuestros dedos para crear los diseños.

"Debe tener un centro discernible".

"Como el centro de un cupcake de Anfitriona", dije.

"Algo como eso."

La gente dejó de tomar sol para hacer preguntas y ofrecer consejos. Jane respondía: "Nada da más satisfacción que permitir que la marea y el viento se lleven lo que acabamos de crear. Todos somos temporales y temporarios y el arte también debería serlo".

Su nueva serenidad le permitió resistir las burlas de los transeúntes como "¿De qué diablos estás hablando?"

Adoptó el comportamiento de muchos occidentales que habían abrazado las religiones orientales. Empezó a hablar con frases lentas y mesuradas, miraba fijamente al vacío y respondía a preguntas ordinarias en términos enigmáticos. También jugó con cambiar su nombre y se probó Tandalea, Blossom y Satya. Ella fue lo suficientemente considerada como para ser vegetariana de fin de semana y no sobrecargar a la familia con sus restricciones dietéticas los otros días.

El apartamento olió a viejos textos prestados y amarillentos de los Upanishads, el *Libro tibetano de los muertos* y el *Bhagavad Gita*, que Jane estudió detenidamente. Pacientemente trató de explicarme la naturaleza de sus creencias, aunque también eran nuevas para ella. Al final, se me escapaba una comprensión total. Aún así, estaba decidido a brindar apoyo.

Lo que Jane vestía asustaba a la familia más que lo que leía. Aunque Jane nació después de la desaparición de la prima Flora, Jane comenzó a vestirse como Flora con faldas largas que barrían el suelo ocultando sus sandalias. Los patrones de sus faldas combinaban perezosas costuras horizontales en marrón y verde con líneas verticales rojas nudosas que sugerían que podría romper en un carrete Virginia o una melodía de Woody

Guthrie en cualquier momento. Ahora Jane afirmó que la tela se había tejido en réplicas de antiguos telares de una tribu que había desaparecido misteriosamente de Guatemala antes de la conquista española.

Temiendo que Jane desapareciera, la familia siempre le preguntaba adónde iba y cuándo regresaría. Jane, siendo Jane, pensaba que eran preguntas amables de curiosidad sobre su bienestar.

Mantuvo sus nuevas devociones en su mayor parte en privado hasta que una noche, durante la cena, estallaron de la manera más inesperada. Ella anunció: "Quiero restaurar el símbolo de la esvástica a su significado sánscrito original, *bienestar, buena existencia y buena suerte*".

Todos dejaron de comer a mitad de mordida.

"Antes de los nazis", continuó, sin notar la reacción de la familia, "la esvástica había sido un símbolo de bondad durante más de diez mil años, y es considerada sagrada y auspiciosa por hindúes, budistas y jainistas. Incluso los navajos usaron el símbolo. ¿Y sabían que hay similitudes entre el budismo y nuestra práctica de *tikkun olam*, "curar el mundo"?

"¿Estas loca? ¿Tikkun olam? dijo Muriel.

"Así es. Y la esvástica se ha utilizado incorrectamente. Es importante cambiar esa percepción".

"¿De qué estás hablando?"

"El mundo debe saber que Hitler destruyó y pervirtió lo que muchos veneran".

"¿Estás loca?" dijo Muriel. "Vas a hacer que nos maten a todos".

"Ve, Jane. Hombre, esto es una locura", dijo Skippy / Basil, apreciando las amenazas físicas.

Muriel cerró las ventanas y bajó las persianas. Puso una tetera con agua para que el silbato ahogara las palabras de su hija.

"Si le dices a alguien lo que estás pensando, todos moriremos".

"¿Por qué? Estoy tratando de hace el bien".

"La gente solo escuchará a Hitler. Esvástica. Bueno. Y pensarán que somos *kapos*. ¿Estas loca?"

"Bueno, entonces no lo llamen esvástica. Llámenla cruz gammadion. Aprendí en la clase de publicidad que si cambias el nombre de algo malo, la gente olvidará por qué lo cambiaste. Y si tomas la debilidad y finges que es la fuerza, eventualmente la gente también creerá eso".

"¿Para esto te enviamos a la universidad?"

"Este será el trabajo de mi vida. Debo asumir una tarea que sea significativa. Era un hermoso símbolo antes de que los nazis lo destruyeran".

"¿No puedes entregarle esto a uno de tus extraños amigos?"

"Es más significativo viniendo de una judía".

"¿No tienes amigos judíos tan locos como tú? Déjalos morir."

"Miren, ya no me veo tan mal. ¿Correcto?" dijo

Skippy / Basil volviéndose hacia Muriel y hacia mí en busca de reconocimiento.

Tummler estaba trabajando en un concierto esa noche y no estaría en casa durante horas. Pero Muriel fue tenaz y no concedió un punto. Incluso Skippy / Basil, sentado frente a mí en la mesa del comedor, empezó a comprender las implicaciones de lo que estaba haciendo Jane. Observé con horror silencioso.

"¿Le has dicho esto a alguien más?"

"Aún no. Estoy formulando una campaña de bondad y redención".

"Bien. Piensa lo que quieras. Pero mantén tu trampa cerrada. ¿Me escuchas?"

Frenética, Muriel llamó a mi abuela. Cuando Tummler finalmente llegó a casa con moretones recientes, Muriel lo llevó al baño donde pudimos escuchar sus voces temblando de miedo, ira e incredulidad.

Unas semanas más tarde, mientras Skippy / Basil y yo nos preparábamos para la escuela, vimos a Tummler y Muriel salir de su habitación vestidos como si estuvieran asistiendo a una boda o un funeral. Él nunca fue a trabajar con traje. Ella llevaba más maquillaje del que yo pensaba que tenía. Mi abuela llamó a la puerta, también disfrazada, fingiendo que todo era normal.

"¿Tienes el dinero?" Muriel le preguntó en un susurro.

Jane salió de su habitación con una maleta en una

mano mientras, desafiante, agitaba su pasaporte recién acuñado en la otra anticipando la siguiente pregunta. Abrazó y besó a Skippy / Basil y a mí en silencio en la mejilla. El siguiente golpe en la puerta fue Norman, el vecino de al lado y taxista.

Se dirigieron al aeropuerto Idlewild. A excepción de Norman, fue su primera visita. Al llegar al pabellón de Pan Am, mi abuela fue al mostrador de boletos.

"¿Sabes dónde está India?" ella preguntó.

"Si."

"Bueno. ¿Tu sabes como llegar allí?"

"Si."

"Bueno. ¿Vuelven los aviones?"

"La mayoría de las veces", dijo la mujer con su traje de aerolínea y su sombrero a juego.

"Bueno. ¿Con qué frecuencia van?"

"Vamos tres veces por semana".

"¿Qué tal hoy?"

"Sí, esta tarde."

"Bueno. Solo quería asegurarme antes de darte mi dinero. Es para mi nieta. Ella tiene sus propias ideas, ¿sabes?"

16

TREN EQUIVOCADO

Unkle Traktor y la tía Georgia me llevaron a la antigua Penn Station, una imitación del nuevo mundo de las Termas de Caracalla y la Gare d'Orsay. Cientos de niños con destino al campamento de verano aparecieron y desaparecieron en los rayos del sol mientras se despedían y bajaban por los andenes hasta sus trenes. Tiré mi bolsa de lona sobre mi hombro, agarré el estuche de mi guitarra y me uní a la manada. Algunos niños lloraron; otros nunca miraron atrás. Algunos padres lloraron; otros planearon almuerzos y vacaciones más largas. La ansiedad, la emoción y las asignaciones de pistas poco claras llenaron la terminal.

Desde el principio, nada en el tren parecía correcto. Muchas de las niñas lucían narices cortas y los cortes de pelo de los niños estaban medidos y modelados, no solo cortados para el caluroso verano. Sus camisas color pastel parecían demasiado alegres y frescas. Nunca había oído reír tanto a los socialistas. Incluso a mi edad, los socialistas estaban obligados a llevar el peso del mundo sobre nuestros hombros y rostros, aunque sólo fuera para prepararnos para ser adultos. Y nadie más que yo traía un sándwich y una manzana. Un sándwich de salami diseñado para soportar horas de inatención y falta de refrigeración se sentó a mi lado, identificado por la mancha de grasa que se extendía en la bolsa marrón y el olor acre de grasa y especias.

Mientras el tren avanzaba poco a poco a lo largo del río Hudson, los consejeros gritaron los nombres de los campistas. Mi nombre no se escuchó por ninguna parte. Si había judíos en la multitud, tenían nombres criptojudíos como Brown, Stone o Rose. Seguí escuchando por mi nombre. Dos horas después, cuando bajamos del tren, me acerqué a los adultos mayores. Examinaron furiosamente sus listas.

"¿Dónde se supone que debes estar de nuevo?"

"Campamento Emma Goldman. Cabaña Sacco y Vanzetti. Rifton, Nueva York. Donde nació Sojourner Truth".

"Estás en el lugar equivocado. Esto es Camp Sunshine".

"¿Campamento Sunshine?" Dije. "Suena como uno de esos campamentos al aire libre".

"Te puedo asegurar que no somos un campamento de Fresh Air Fund", dijo uno de los adultos con el desprecio prestado de un vendedor en una tienda cara. Se acurrucaron y murmuraron entre ellos.

"¿Qué vamos a hacer? Nunca cometemos errores".

"Por supuesto que no. Es culpa del chico".

"¿Pero qué hacer? No podemos simplemente dejarlo aquí".

"Debemos hacer un pastel de limón con semillas de amapola a partir de limones".

Se volvieron hacia mí.

"¿Cuántos años tienes?"

"Doce."

"Doce. Doce. Bueno, un niño de doce años debería estar con los Nobles Salvajes".

"Pero eso no resuelve el problema más grande".

"Lo tengo. Lo haremos una mascota. Un proyecto. Será el primer becario de Camp Sunshine".

"Excelente."

"¿Te gustaría ser el primer becario de Camp Sunshine?"

"Supongo", dije.

"Te daremos privilegios de tres cuartos".

"¿Los privilegios de tres cuartos incluyen el almuerzo?" Yo pregunté.

"Si."

"¿Todos los días?"

"Si."

"OKAY."

"Sube a ese autobús".

Los autobuses no eran los autobuses amarillos estándar propiedad de compañías como Ed-Deb Trans, con chicles endurecidos debajo de los asientos y amor joven tallado en los cojines de los asientos. Estos autobuses eran ballenas benévolas con aire acondicionado que formaban una joroba en el techo y luces de lectura individuales que brillaban como ojos.

Ahora estaba claro. No solo tomé el tren equivocado, sino que iba a un campamento para socialites, no para socialistas. No es un error común y para el que no tenía excusa.

Cuando llegamos a Sunshine, dije: "Tengo que llamar a mis tutores".

Me llevaron a un teléfono, donde llamé a la tía Georgia y Unkle Traktor para explicar la situación. Los imaginé compartiendo el receptor.

"¿Cómo te subiste al tren equivocado?"

"Todos se parecían".

"¿Te están tratando bien?"

"Me ofrecieron privilegios de tres cuartos. Es una beca".

"¿Qué significa eso?"

"No estoy seguro. Pero incluye el almuerzo".

"¿Saben que eres judío?"

"Saben que se suponía que debía ir al campamento Emma Goldman. Cabaña Sacco y Vanzetti. Rifton, Nueva York, donde nació Sojourner Truth".

"Entonces saben que eres judío. Y eso de las tres cuartas partes significa que el campamento está restringido. Te excluirán de lo que quieren y se esconderán detrás de esa beca. Bastardos sucios. Busquemos una manera de llevarte al campamento correcto".

Me sentí horrible y estúpido por toda la situación hasta que la tía Georgia dijo: "Espera. Tal vez puedas quedarte y ser una Margaret Mead al revés. Puedes observar y verificar lo que ya sospechamos, y cuando regreses a casa, puedes escribir sobre ello".

"Sí, sí, tal vez sea una mejor idea", dijo Unkle Traktor. "Qué oportunidad. Luego, cuando llegues a casa, puedes escribir "Cómo viven de verdad esos bastardos sucios".

"Trabajaremos en el título más tarde", dijo la tía Georgia. "Pero recuerda, mientras estás allí, no escribas nada. Solo toma notas mentales. Las notas escritas pueden usarse en tu contra. Recuerda a Alger Hiss y los Papeles de Calabaza".

Cuanto más hablábamos, menos culpable me sentía y más entusiasta estaba por mi error.

"Está bien, quédate. Pero ten cuidado. Esos sucios bastardos" —dijo Unkle Traktor antes de colgar. La tía Georgia llamó a Emma Goldman y les dijo que no iría a almorzar.

La cabaña de los Nobles Salvajes tenía sólo otros cinco chicos de mi edad, y todos se conocían de veranos anteriores: Biff; los gemelos, Tad y Trey; Ed; y

Mellon, que llevaba el apellido de soltera de su madre como el primero. Mis compañeros de litera intentaron las bromas habituales: cubrir las camas con sábanas cortas, Saran Wrap sobre la taza del inodoro y hacer pasar a Ex-Lax como chocolates caros enviados desde casa. Se hacían más por tedio y falta de imaginación que por malicia.

Debido a que existía un sistema de castas dentro del sistema de castas, me emparejaron con Mellon. Su padre había sido acusado de algún tipo de fraude. Si hubiera estafado solo a los pobres, supongo que su hijo habría sido bienvenido y yo habría sido asignado a otra persona. Pero el padre de Mellon había cruzado la línea y le había robado a los ricos. Cuando un crimen es cometido, pequeño o notorio, por alguien de una minoría, cada persona de ese grupo se retuerce con el temor de repercusiones más allá y desproporcionadas con el crimen. Pero en Sunshine su queja era interna y el resultado era punitivo.

Vincularnos no creó amistad; se requerían pares oficiales durante actividades como piragüismo, tenis y natación en aguas profundas. Mellon es un nombre horrible para un niño que es muy querido, y mucho más para alguien que está condenado al ostracismo. En Sunshine lo llamaban Lope, como en cantalope. Incluso nuestro consejero, Ned, lo llamaba Lope.

Ned, un ex campista, poseía una mirada perenne que delataba su ansiedad por lo que la gente de arriba y alrededor de él pudiera estar diciendo. Si hubiera

215

habido una organización de aduladores menores, él habría sido el primero en decir que sí y unirse. Debe haber sido difícil pasar por la vida siempre asustado. Ned deseaba profundamente inculcarnos las tradiciones de Sunshine. Lo hacía repitiendo su versión del lema Sunshine, "Libertad, igualdad, fraternidad". No fraternidad, sino fraternidad de remeras de polo a rayas.

Ned era más serio al completar el informe KYBO nocturno. Aunque nunca supe el significado exacto de las iniciales, pensé que significaban "Keep Your Bowels Open" porque todas las noches después de la cena, Ned registraba diligentemente nuestras respuestas a las siguientes preguntas:

"¿Escribiste a casa hoy?"

"¿Te destacaste en algo hoy?"

Y "¿Hiciste KYBO hoy?" refiriéndose a una mierda.

No me quedó claro exactamente cómo se relacionaban estas actividades. Tad y Trey, que eran bastante regulares, mostraron un interés poco natural en las evacuaciones intestinales del otro, lo que arrojó luz sobre por qué a Mengele y otros les gustaba estudiar a los gemelos. Afortunadamente, no llevaban un registro oficial de la frecuencia con la que Mellon se masturbaba, para lo cual tenía una aptitud distinta.

Encontré útil hacerme pasar por un rufián de la calle para intimidar a Ned y los demás. Los días que no usaba mi musculosa junior, enrollaba cigarrillos en la manga de mi camiseta. Siempre llevaba mi navaja y jugaba baloncesto básico en el patio de la escuela yendo con fuerza al aro sin importar quién se interpusiera entre el cubo y yo. No quería acercarme a nadie y que me preguntaran cómo Unkle Traktor y la tía Georgia se convirtieron en mis tutores. Tampoco quería que nadie supiera sobre sus lazos comunistas o las peculiaridades ideológicas de Unkle Traktor, como irritarse irracionalmente cuando alguien lo llamaba trotskista.

El verdadero beneficio de mi asociación con Mellon fueron las comidas. Dado que su padre aún estaba en libertad bajo fianza, sus padres venían a menudo a visitarnos y nos llevaban a restaurantes de mariscos caros con nombres franceses. Al principio me sentí intimidado. Yo, un niño de doce años, era representante de toda una religión. ¿Cómo iba a explicar por qué los judíos no pueden comer esto o aquello, o peor aún, desentrañar la lógica y la historia detrás de las leyes dietéticas judías? ¿Por qué, por ejemplo, el tiempo de espera entre comer primero lácteos y luego carne es diferente al tiempo de espera entre comer carne y luego lácteos? O si estamos en lo cierto, ¿cómo es que todo el mundo no judío no está muerto por envenenamiento por camarones o cerdos? Todos los judíos, incluidos los que no se mantienen kosher y los que apenas conocen la dirección de su hogar, conocen la ortografía y los peligros de la triquinosis y los crustáceos y están imbuidos de los horrores de comer carne de cerdo y mariscos.

Agrega a esto que los judíos nunca comen pescado en su estado natural. Debe ser ahumado, machacado, encurtido, salado, picado, a la crema o transformado en pescado *gefilte* antes de poder servirlo. ¿Cómo explicas eso racionalmente?

No reconocí los nombres de ninguno de los pescados franceses en el menú, así que pedí algo que esperaba que no fueran mariscos. Tenía bastante miedo de parecer hipócrita y de comer alimentos prohibidos que no fueran chinos. Al menos en casa, los restaurantes de mariscos tenían menús de marineros, ofreciendo algo de pollo para reconocer que el vecindario no había sido marcado en rojo. Mi pez llegó ovalado a excepción de la cola. Estaba acompañado por una rodaja de limón solitaria envuelta en una malla, que eliminé por no ser natural. A partir de entonces, dondequiera que íbamos, pedía lenguado, que todos asumieron naturalmente que era mi favorito. Y en cierto modo lo era.

Sentado frente a los severos padres de Mellon, estaba tan incómodo que pasé por alto un chiste familiar. "No veo arenques en el menú. Supongo que es demasiado pronto para los arenques jóvenes". Sin embargo, los padres de Mellon no tenían ni idea de mi aprensión. De hecho, según nuestras vacilantes y dislocadas discusiones a la hora del almuerzo, parecían creer que compartíamos intereses comunes.

"Enviamos a Mellon a Eton, una de las mejores escuelas públicas de Inglaterra", dijo el padre de Mellon.

"Yo también. Fui a P. S. 225 en Brighton Beach. Muy buenos puntajes en lectura y matemáticas", dije.

"Pasamos el verano pasado en la playa de Brighton", dijo la mamá de Mellon.

"Yo también", dije.

"¿Alguna vez has estado en Inglaterra?" preguntó el papá de Mellon.

"Solo la Nueva," dije.

Con mi salvedad de privilegio de tres cuartas partes y, como era la costumbre en Emma Goldman, pensé que tendría que servir las mesas y lavar los platos. Pero en Sunshine, hombres jóvenes vestidos con trajes blancos con cinturones negros, haciéndose pasar por camareros profesionales, servían nuestras comidas en platos a juego sin papas fritas. Y los campistas Sunshine comían con sus espinas paralelas a los respaldos de las sillas. Aparentemente, no disfrutaban de su comida y se la llevaban a la boca en un ángulo de noventa grados. Aunque impresionante, era más como un gesto de obediencia, como perros sentados en silencio junto a sus cuencos hasta que se les da la señal de comer. También teníamos gente que lavaba la ropa. Todos tenían etiquetas con su nombre en la ropa, excepto yo. Cualquier prenda sin etiqueta se convirtió en mía, sin importar el tamaño o el sexo.

Los campos de béisbol de Sunshine eran de un verde exuberante y se limpiaban todas las mañanas. Ellos medían fanáticamente la altura de cada red de tenis, voleibol, baloncesto y bádminton cada día para cumplir con los estándares internacionales. Las canoas de madera parecían pulidas y sin usar. E imaginé que drenaban el lago todas las noches y limpiaban el anillo alrededor de la costa para deshacerse de la escoria dejada por la colonia de bungalows cercana.

La única vez que se invocó el privilegio de las tres cuartas partes fue cuando todos, salvo yo, fueron a montar a caballo. No era totalmente ignorante de los caballos. Entre los ocho carriles de tráfico en Ocean Parkway en Brooklyn había un camino de herradura utilizado principalmente por personas para pasear a sus perros, pero en ocasiones pasaba un caballo y un jinete. Siempre me gustó ver a los caballos esperando el semáforo como si fueran peatones o coches. Esta no era la vida como se ve en los westerns o las películas inglesas, sino al estilo de Brooklyn, donde todos tenían que detenerse para que las personas se ganaran la vida, como conducir un taxi o un camión.

Mientras los estaban cabalgando, pasé ese tiempo en la enfermería con la enfermera con la designación oficial 'bajo observación'. A pesar de la advertencia de la tía Georgia de no dejar un registro escrito, a menudo le enviaba cartas a la tía Tillie. Siempre tuve la confianza de que la tía Tillie no compartiría mis secretos y mis idioteces adolescentes. También estaba bastante seguro de que ninguna de mis cartas, salientes o entrantes, se abrieron al vapor para revelar su contenido.

Querida tía Tillie:

Como probablemente sepas, estoy en el campo equivocado. No estoy en el campamento Emma Goldman. Estoy en Camp Sunshine. Está lleno de niños muy ricos. Algunos son de familias importantes, me dicen. "Prominentes" es como lo llaman. Me dicen que lo prominente es bueno. Parece que los niños estúpidos y perezosos de estas familias prominentes están "salvados de por vida". Otro término que acabo de aprender. Por favor envía por correo cualquier comida judía que creas que llegará.

PD: Creo que encontré lo que quiero hacer con el resto de mi vida. Quiero observar la vida de los demás y luego decirles lo que pienso de sus vidas.

En una semana, la tía Tillie me envió tres docenas de galletas mon, galletas de azúcar, pero no demasiado dulces, y salpicadas de miles de semillas de amapola. Ella adjuntó una nota.

221

*Ten cuidado con tus observaciones. Recuerda
lo que le pasó a Michael Rockefeller.*

Ese verano, hice una audición para Guys and Dolls, la producción principal de Sunshine del verano. Quería desesperadamente un papel. Después de todo, a Abe Burrows, uno de los escritores de la obra, se le había negado el premio Pulitzer debido a sus problemas con la HUAC. Una motivación que me guardé para mí.

Monte era nuestro consejero de teatro. Su verdadero nombre era algo así como Davey O'Brien, pero eligió Monte porque pensó que sonaba más considerable. Lo pronunciaba "Mon-TAY" para realzar el efecto y se llamaba a sí mismo el director teatral. Se rumoreaba que Monte había sido una vez un destacado director de musicales o películas de Broadway o algo así. Pero después de que le dijo a Gene Kelly que bailar en charcos era estúpido, fue relegado a dirigir a personas como yo.

Fue en estas audiciones donde vi por primera vez a Patrice Anne. El sol rebotaba en su piel como un caftán blanco de nómada que refleja el calor. Era tan elegante como podría serlo cualquier joven de catorce años. Se separó el pelo rubio rojizo ligeramente descentrado, para no parecer un poeta. Patrice Anne era exótica. No había nadie como ella donde vivíamos.

Monte me eligió para interpretar el papel de Nicely Nicely, y yo cantaría "Sit Down, You're Rockin' the Boat ". Eligió a Patrice Anne para interpretar el papel principal, Adelaide.

Todos los días en los ensayos, aprovechaba para acercarme a ella, para sentarme cerca de ella, al lado de ella, junto a ella. A nuestra edad, esto constituía una relación. Algunos de los otros pasaban y le advertían en un susurro escénico: "Cuidado. No es uno de nosotros" o "Escuché que es comunista". A ella le importaba poco lo que dijeran los demás, y vio a través de mi fachada de tipo duro. Poco a poco llegué a confiar en ella. No solo le divertía mi educación en Brooklyn, sino que incluso la intrigaba. En cuanto a mí, sus historias del Upper East Side de Manhattan eran igual de extrañas, un mundo como Sunshine pero con hormigón bajo los pies.

Mi valor como mascota nunca fue más alto que cuando Monte se dio cuenta de que podía tocar la guitarra y sabía suficientes canciones para dirigir un canto en una fogata. Por supuesto, tuve que enviar una lista de reproducción para su aprobación, pero conocía a mi audiencia.

Me presentaron como un Noble Salvaje y el primer becario de Camp Sunshine. Aunque dudo que haya habido un segundo. Toqué "Greensleeves", "Tom Dooley" y "Michael, Row Your Boat" y planté algunas canciones ligeramente subversivas: "If I Had a Hammer" y "Puff, the Magic Dragon". Dos consejeros pensaron que estaban bien al llevarse dos dedos a la boca y hacer un sonido de succión. Casi todo el mundo cantaba con una indiferencia aturdida, excepto Patrice Anne, que cantaba en voz alta y hermosa.

Alguien gritó: "¿Sabes" Ain't I Right "de Marty Robbins?"

"Lo siento, no la sé", dije.

"Por supuesto que no", respondió la voz.

"Lo siento."

"Bueno, voy a cantarla, y puedes descubrir cómo tocarla".

El hermano mayor de uno de nuestros Nobles Salvajes, Biff, emergió de la oscuridad. Caminó hasta el borde de la fogata, su rostro brillaba inquietantemente desde la barbilla hacia arriba, y comenzó a cantar. Y no muy bien. Era más country que cualquier otra cosa, pero traté de seguirle el juego. Nadie cantó con él.

Para cuando llegó al final del segundo verso, me estaba mirando furioso, esperando que otros entendieran el mensaje. "Ain't I Right" no se trataba de un gramático descarriado, sino de una alegre canción anti-comunista.

Pensé que esto necesitaba una respuesta, así que toqué "This Land Is Your Land". Woody pensó que "God Bless America" era exclusivo y poco realista y "This Land" era su antídoto. No compartí esta parte de la historia subversiva ya que casi todos cantaron el coro, pero nadie conocía los versos raramente escuchados que agregué esa noche:

Mientras caminaba vi una señal ahí
Y en el letrero decía "Prohibida la entrada".
Pero del otro lado no decía nada
Ese lado fue hecho para ti y para mí.

A la sombra del campanario vi a mi gente,
Por la oficina de socorro vi a mi gente;
Mientras estaban allí hambrientos, yo me
    quedé allí preguntando
¿Esta tierra está hecha para ti y para mí?

El hermano mayor de Biff y dos de sus amigos me esperaron después de cantar. Aparentemente, sus padres fueron desarrolladores aterrizados. Empezaron a empujarme y a gritar "comunista pinko" y "judío bastardo". No está mal. Solo un judío bastardo durante todo el verano.

Los tres eran más grandes que yo. Podría haber jurado que vi a mi consejero Ned acechando en las sombras. Sabía de qué bolsillos vendrían sus propinas.

Un aspecto de ser astuto es saber cuándo luchar. A veces tienes que luchar incluso cuando vas a perder. Consideré patear a dos de ellos en las pelotas y golpear al tercero en los ojos. Podría haber corrido y esperar que alguien del personal superior interviniera. Entonces tuve una mejor idea. Saqué mi billetera y logré encontrar mi tarjeta de registro de votante republicano, una reliquia familiar irónica. Unkle Traktor la había encontrado tirada en el suelo después de un tumulto en Union Square Park con algunos agitadores externos. Decidió que la persona más joven de la familia debería llevarla consigo como recordatorio de en lo que no debía convertirse. Y cuando mi próximo hermano o primo cumpliera diez años, se convertiría en el titular temporal de la tarjeta y así sucesivamente de generación en generación.

"Mira, yo soy uno de ustedes", dije, sosteniendo la tarjeta y ocultando el nombre de la persona real con mi dedo.

Afortunadamente, nunca se les ocurrió cómo o por qué un niño de doce años tenía una tarjeta de registro de votante republicano. Todo lo que vieron fue una representación tangible de su cultura.

Uno de los chicos dijo: "Está bien. Pero tengo que golpearte. Tengo que poder decirles a los demás que te pegué".

"Está bien", dije. "Pero no en la cara ni en las nueces".

No se mencionó nada en el siguiente ensayo, y Monte actuó como si no estuviera al tanto de la pelea. Pero compartí algo del suministro constante de galletas mon de la tía Tillie con Patrice Anne. Ella, a su vez, me invitó a visitarla esa misma noche.

El campamento de niñas estaba al otro lado del

lago. El lago lleva el nombre de un nativo americano desconocido e impronunciable, por lo que todos lo llamaban simplemente el lago. Había tres formas de cruzar el lago: nadar, tomar una canoa o usar el sendero a lo largo de la costa. Los peligros inherentes a nadar o tomar una canoa en la oscuridad permitían la posibilidad de muerte por romance. Pero todos usaban el sendero aunque nunca lo admitían. Aún así, surgieron cuentos apócrifos, envueltos en la muerte, sobre cruzar el lago de noche. Supuestamente, un consejero principal se ahogó mientras se dirigía a una noche de libertinaje con un campista menor de edad. Todo lo cual permitió a los niños decir: "El sexo mata".

Llegué a la cabaña de Patrice Anne y traté de no despertar a los demás. Hablamos en voz baja, oliendo a enjuague bucal. Por supuesto, discutimos cómo crucé el lago y mentí y dije que había tomado una canoa. Chismorreamos sobre Monte y los otros miembros del elenco de *Guys and Dolls* y nos reímos de cosas que no eran divertidas. Quería tocarla, pero su pijama parecía demasiado caro. Luego, de repente, preguntó: "Eres judío, ¿verdad?"

"¿Sí, por qué?"

"Sólo curiosidad."

"Lo soy."

"¿Puedes probarlo?"

"Seguro. ¿Quieres que recite una bendición?"

"¿Qué tipo de bendición?"

"Bueno, tenemos todo tipo de bendiciones. Sobre todo sobre la comida y la muerte".

Ella vio mi vacilación y dijo: "Sabes a qué me refiero".

"Realmente no." No lo sabía.

"Nunca he visto uno real".

"¿Un qué real?"

"Bueno, excepto por el de mi hermano. Pero eso fue un accidente. Y nunca uno al que le falten piezas".

Estuve confundido por un tiempo, y luego me di cuenta de lo que estaba diciendo. "¿Eso? ¿Quieres ver eso?"

"Sí. A los judíos les faltan piezas, ¿no?"

"Bueno, algunas. Pero no piezas grandes. Nunca vi el original. Las quitaron hace mucho tiempo".

"Entonces, ¿puedo verlo? Solo una vez. Por favor."

Hasta ese momento, no pensaba que el de los chicos ricos fuera diferente al mío. De hecho, nunca había visto el original de nadie. El sexo es confuso para muchos, especialmente para los adolescentes. Y la incertidumbre puede ser una forma eficaz y primaria de control de la natalidad. Patrice Anne estaba realmente curiosa. Tal vez podría fomentar un mejor entendimiento entre judíos y no judíos, así que comencé a jugar con mis pantalones.

De repente aparecieron rayos de linternas desde todos los ángulos, todos apuntados hacia mí. Era como si un prisionero hubiera escapado y los guardias encendieron sus reflectores y soltaron a los perros. La oscuridad se llenó de risitas, risas y comentarios al azar.

"¿Así luce?"

"Nunca había visto uno así".

"Es diferente."

"Mátalo antes de que crezca".

"Debo encontrar uno igual".

"Llamémoslo Sir Cumcision".

Me sentí totalmente humillado y traicionado por Patrice Anne. Me levanté de un salto y salí corriendo de su barraca, subiéndome los pantalones, tropezando por el sendero de regreso al lado de los chicos.

Evité a Patrice Anne al día siguiente, pero ella insistió en que hablara con ella. Me dijo una y otra vez que no sabía qué habían planeado los demás. Ella admitió que les había dicho que venía, pero repitió su sincera, llorosa y profusa disculpa. Quería creerle, pero no me convencí hasta el ensayo de ese día. Luego Patrice Anne tuvo que cantar "Adelaide's Lament". Por la emoción en su voz y sus ojos llorosos, comprendí que me estaba cantando, el chico de las piezas faltantes.

Durante el resto del verano, Patrice Anne y yo pasamos el mayor tiempo posible juntos, reuniéndonos subrepticiamente en el cobertizo para botes siempre que podíamos. Nuestro tiempo juntos y nuestra relación fueron aterradores, fascinantes, des-

WARREN ALEXANDER

concertantes, físicos y emocionales. No estaba prepa-
rado en ningún sentido, y eso lo hizo aún más
memorable. A pesar de la atención de Patrice Anne,
no impidió que todo el campamento me llamara Sir
Cumcision, o más el escueto pero irónico Sir.

Querida tía Tillie:

*Cuando pienso en el verano, creo que la
mayor diferencia entre ellos y nosotros es que
somos más oscuros. Los judíos no son
exactamente blancos. No me refiero al color
de la piel. Nuestro cabello es más oscuro,
nuestros ojos son más oscuros. Cuando me
acuesto en mi litera en la oscuridad, los
demás parecen brillar. No puedes
encontrarme. Tienen confianza en el futuro,
pero tú nos enseñaste el proverbio yiddish,
"Los hombres planean y Dios se ríe". También
nos reímos de diferentes cosas. Nos reímos de
cosas de las que se supone que no debemos
reírnos, como la muerte y el fracaso, y eso solo
lo hace más divertido. Nuestra comida es más
oscura. Comen pan blanco, comemos centeno
y lo mojamos en sopa. Vivimos en barrios con
vecinos de cabello oscuro con abrigos de lana
gruesos, y tenemos salones de belleza que
convierten el cabello oscuro en rubio. Incluso*

las cubiertas y lomos de nuestros libros más importantes son negros.

Nadie realmente nos quiere porque somos diferentes. Leemos diferentes libros y tenemos diferentes héroes. Cuando oramos, no nos arrodillamos. Siempre usas la palabra shanda, pero no existe tal palabra en inglés ni aquí. Aquí hablan mucho de su ropa, y tienen muchas palabras para un mismo color: topo, crudo, concha, blanquecino, beige, incluso seta. Algo inútil, supongo, pero luego pensé que los judíos tampoco son exactamente blancos sino blanquecinos. Pero no creo que seamos topo.

17

PLANIFICACIÓN

Fern disfrazó su verdadera intención cuando les pidió a todos que se unieran a ella en el patio el Día de los Caídos.

Unos días antes visitó a Herbert Plotnick, quien pasó su vida en uno de los laberintos de oficinas en Nassau Street. Aunque los edificios eran más altos en otras áreas de Nueva York, en Nassau Street el aire se sentía más denso, la calle más oscura y más estrecha y las bombillas más tenues. Estaba prohibido lavar las ventanas. Todavía se pueden encontrar recordatorios de la Segunda Guerra Mundial en forma de ventanas revestidas de metal que impedían que la luz se filtrara durante un ataque aéreo. Era el entorno perfecto para cultivar setas y comerciantes de sellos.

Fern vio una figura distorsionada a través de la ventana de vidrio esmerilado enmarcada por la puerta de su oficina y tocó el timbre. Plotnick respondió. Era un tipo de aspecto ordinario, salvo por un gran anillo de plata que brillaba como un señuelo de pesca. Y aunque coleccionar sellos es una afición inocua, incluso a veces educativa, para la mayoría de los niños, los que crecieron para convertirse en comerciantes de sellos siempre fueron los últimos en ser elegidos cuando se decidían los equipos y nunca los elegidos por las niñas. Como ocurre con muchos adultos que alguna vez fueron objeto de desprecio, el dinero, el poder y los débiles intentos de conquista sexual se convierten en sus fuentes de venganza.

"Solo un minuto", dijo Plotnick mientras le daba la espalda a Fern y cerraba una caja fuerte del tamaño de un ataúd, aunque uno que estaba erguido.

"¿Como puedo ayudarte?"

"Quiero venderte algo", dijo Fern.

"¿Qué?"

Todo coleccionista serio tiene un interés principal, pero siempre tiene al menos otra fascinación, si no cinco o seis. De una bolsa de compras, Fern sacó todos los consoladores y las revistas que les dijo a todos que había tirado hace años y los desenvolvió como si importaran. El semblante de Plotnick cambió y no pudo ocultar su entusiasmo. "¿Cómo me encontraste?"

"Cohen, el joyero de Fulton Street, dijo que te interesaría".

"Cohen es un traidor y un gonif, y puedes decirle

233

que lo dije".

Plotnick apartó el desorden de su escritorio y colocó cada consolador con cuidado, como si estuviera preparando instrumentos esterilizados para la cirugía. Los examinó primero a través de una lupa de joyero y luego a través de una gran lupa con bisagras en un soporte.

"Este parece gastado", dijo con una sensación de excitación. "¿Sabías que el primer juguete sexual se encontró hace casi treinta mil años en una cueva cerca de Ulm, Alemania? No muy lejos de donde viene mi familia".

Plotnick continuó durante unos momentos más instructivos. "Aquí tiene una página de catálogo de Sears Roebuck de 1918. Vendían vibradores como accesorios para la limpieza de aspiradoras"—agregó luego en un francés muy imperfecto—"La primera instancia impresa fue probablemente *Choise of Valentines* o la *Merie Ballad of Nash his Dildo* alrededor de 1593".

La mayoría de la gente leía *Historia de dos ciudades* en la escuela secundaria, pensó Fern. Plotnick continuó: "Empresas como General Electric, Oster y Hamilton-Beach los fabricaban bajo la apariencia de dispositivos de masaje, pero todos sabían para qué se usaban". Omitió la frase "incluyéndome a mí".

"Pero cuando todos veían películas pornográficas

de la era del jazz y dejaron de ser un pequeño secreto sucio, morían en público", dijo con aire de resignación. "Te doy trescientos dólares".

Aunque Fern le tenía un poco de miedo, midió fácilmente a Plotnick. "Veo que su interés es puramente académico, pero quiero venderlos. Así que déjame llevarlos a otro lado".

"Está bien, quinientos".

Fern lo miró mientras casi temblaba mientras inspeccionaba cada uno, mientras simultáneamente trataba de mantener una tabulación continua de su valor.

"Tienen un gran valor sentimental y solo quiero asegurarme de que encuentren un buen hogar".

"Está bien, ochocientos".

"Que sean mil, y tendrás un trato", dijo Fern, tratando de no exagerar su mano o la de él. Fern pudo ver a Plotnick vacilar mientras estaba en conflicto con su necesidad de robar y la de satisfacer un impulso mayor.

"Mil y ni un centavo más", dijo Plotnick.

"Trato."

Plotnick abrió una caja fuerte más pequeña que estaba enterrada debajo de algunos diarios de sellos y una venta de bienes que aún tenía que clasificar, y contó el dinero.

En el viaje en metro a casa, el asiento de mimbre del metro golpeó a Fern en el trasero un par de veces, casi como un recordatorio de lo que acababa de hacer. Cambió de asiento cuando el bastón casi le rasgó las medias y cuando se acomodó por segunda vez, Fern deslizó subrepticiamente la mano en su bolso para asegurarse de que el dinero siguiera allí.

Fern pensó que nunca podría regresar con Cohen, el joyero, no es que no hubiera otros joyeros, pero ¿cómo supo él sobre Plotnick? ¿Qué más compartieron? ¿Qué pensaba él de ella? ¿Cómo es que todos estos fugitivos de Europa a menudo parecían más mundanos, más educados, más abiertos sexualmente que los judíos estadounidenses? Pero si volvía a su tienda, sin duda se lo agradecería.

"Me pregunto por qué Fern nos llamó aquí", dijo mi madre.

"Quizás Jerry compró una camisa nueva".

"No, lo hubiéramos visto en las noticias".

"Tal vez Yudel fue atropellado por un camión nuevamente. Un camión mejor".

El patio se mantuvo constante. Aunque la fachada de uno de los edificios de apartamentos vecinos había sido pintada, todavía parecía arenosa.

La familia se sentó en el mismo orden y no en un círculo, sino en un semicírculo como un escenario frente al público, excepto que el público en este caso era un tendedero.

Mi padre trajo un hibachi nuevo y mucho más grande. Sus primeras hamburguesas sabían a líquido para encendedor. La mente y la habilidad para cocinar de mi abuela todavía estaban muy entusiastas, pero sus rodillas no funcionaban y no podía llevar lo que hacía por las escaleras. Por alguna razón, en esta etapa de su vida, decidió que no era digno gritar por la ventana, sino arrojar cada latke como se doraba. Los arrojó desde la ventana de su cocina del segundo piso a los sellos que eructaban debajo mientras miraban hacia arriba. Algunos usaron sus manos, otros platos y otros tazones para atraparlos. Mi abuela no parecía preocupada por haber creado este frenesí darwiniano. Para mi padre y Tummler no era quién tenía hambre, sino quién podía atrapar más latkes voladores.

Fern, que ya no pudo contenerse, metió la mano en su bolso y abanicó unos paquetes de veinte.

"Aquí lo tienes. Ochocientos dólares".

"¿De dónde sacaste eso?"

"¿Qué vas a hacer con eso?"

"Todos vamos a ser arrestados, ¿no es así?"

Fern era muy consciente del cambio de actitud hacia los bar mitzvah y estaba tratando de sacar ventaja. Fueron pioneros en el movimiento cuando los bar mitzvahs ya no pertenecían al niño sino a la madre. Los familiares y amigos dirían que van al bar mitzvah de Belle o al bar mitzvah de Frieda; el nombre del niño se perdió en la niebla de su necesidad de reconocimiento. El bar mitzvah estaba ahora precedido por el nombre de la madre y yo tenía muchas madres. Y la intención de Fern era comprar su camino a la cima.

"Con este dinero, decidiré dónde será el bar mitzvah y quiénes serán invitados".

Esto fue seguido por la propia versión de *Los tres osos* de mi familia, si no ocho o doce osos.

"Pero él es mi hijo natural", dijo mi madre biológica.

"Le enseñamos lecciones invaluables sobre lo que es importante en la vida", dijo la tía Esther.

"¿Te refieres a ser incluido en la lista negra? También le enseñamos cosas importantes", dijo Muriel.

"Muriel, no te dejes distraer por la realidad", dijo el tío Murray.

"¿De dónde sacaste ese dinero?"

"No importa, lo tengo".

En ese momento, otro latke salió volando por la ventana y golpeó a Tummler en el ojo.

"¿Estaba crujiente?" preguntó mi padre.

De vez en cuando alguien le daba uno a mi abuelo, que prefería comer el suyo con crema agria en lugar de puré de manzana. A mi madre le gustaba mojar sus latkes en ambos, una extraña combinación de sabores y remolinos.

Cada madre tenía a la vez un reclamo válido y uno sin valor sobre de quién debía ser el bar mitzvah. No hice nada para sofocar este argumento, ya que el rabino no apreciaba mi enfoque único de mi bar mitzvah y no deseaba revelar mi propio conflicto.

Todos habían contribuido a mi educación a su manera.

Mi abuela no escuchó las palabras, pero pudo escuchar el distintivo ascenso y descenso de voces que constituían una pelea. En lugar de gritar, escribió una nota, la envolvió en un pañuelo de papel, le añadió una moneda de diez centavos y la tiró, como hacía cuando mi madre y la tía Esther eran pequeñas y querían comprar helado. La nota decía: "No me hagan bajar allí". Todo lo demás estaba implícito.

Si existe una jerarquía de comportamiento irracional y su remedio, todavía tengo que averiguarlo. ¿Qué iba a hacer la abuela? ¿Gritarles? ¿Exiliarlos? ¿No alimentarlos? ¿Cuál era su poder? La familia continuó discutiendo en susurros con los dientes apretados.

"Así que quieres organizar la fiesta. Eso está bien", dijo mi madre. "¿Vas a servirla con queso de cazuela de tu supermercado?"

"Para eso son los ochocientos dólares".

"El bar mitzvah real no es más que una reserva para la fiesta donde el rabino es del maestro", dijo mi padre.

"¿A quién vas a utilizar para la música?"

"Podríamos tener cómicos en lugar de música", dijo Tummler, "conozco a muchos de ellos a quienes les vendría bien el trabajo".

"Esos cómicos están sin trabajo por una razón".

"¿Cómo vas a bailar con un comediante?"

"Pueden silbar *Hava Negilah*".

"Sabes, algunas personas se mantienen kosher".

"Nunca comí queso de cazuela en un bar mitz-vah. O una boda ".

Y no habían llegado a los aspectos más polémicos de la fiesta: la ceremonia del encendido de las velas y en qué mesas debería sentarse la gente. Se supone que la ceremonia de encendido de velas honra a los amigos y familiares venerados que encienden una de las primeras trece velas para el bar mitzvah. Los padres encienden la última y, a menos que esto se resuelva, podría ser una estampida.

"Sabes que tienes que invitar a la prima Gertie. Ella no vendrá, pero se enoja si no puede decir que no primero", dijo Muriel.

"Ser judío ahora es ser de clase media", dijo el tío Morty.

"Cuando era niño, murmuraste algunas palabras en hebreo y luego dijiste: 'Hoy soy una pluma estilográfica', y fuiste bar mitzváhed", dijo Tummler.

"Sabes que a los chicos de muselina se les corta el *schvantz* cuando tienen trece años".

"Musulmán, no muselina. No todo el mundo está en el negocio de los schmatta".

"Creo que los musulmanes solo hacen la mitad del schvantz".

"Uno pensaría que después de todos los problemas en Europa, un bar mitzvah sería algo más que una fiesta".

"Entonces", preguntó Fern, "¿habla mi dinero?"

"Asegúrate de que no sea el mismo día de la boda del hijo de Beatty, Barry".

"¿Cuándo es?"

"No lo sé."

"Sabemos lo que hiciste con el hombre del abrigo cuando lo hiciste dormir en la cama del perro".

"Eso no tiene nada que ver con el bar mitzvah".

"*Feh* en derma disecada. ¿Por qué siempre lo sirven?"

"Eres tan *muzhik*. No sabes lo que es bueno".

"¿Por qué no pedimos en los chinitos?"

"¿Para ciento setenta y cinco personas?"

"Por una vez en tu vida, actúa como mensch, Tummler", dijo el tío Morty, "es chino, no chinito, *chino*. El mundo esta cambiando. ¿Te gustaría que alguien dijera: "Vamos por los judiítos?"

"Eres un antisemita, Traktor", dijo Tummler.

"Estoy haciendo una analogía".

"Me importa un carajo lo que estés haciendo, eres antisemita".

"Simplemente deja de llamarlos chinitos".

Y en la noche.

Aprendí mucho ese día. Lo que es importante para los demás no lo es necesariamente para ti. La pelea a menudo no tiene nada que ver con lo que están peleando. Nunca se sabe dónde y cuándo aprenderás algo. Y quizás lo más importante, no tienes que saber de qué estás hablando para tener razón.

"La responsabilidad está en los cuerdos", dijo mi padre. "¿Alguien más quiere una hamburguesa?"

"¿Puede ser media?"

"Por supuesto."

18

LOS RITOS DEL OTOÑO

Grout selló las comisuras de la boca del rabino Birnbaum. Más precisamente, el adhesivo de su denta-
dura postiza rezumaba de su caparazón artificial,
luego se arrojó cruelmente en un mar de lugares comunes y quedó varado en la comisura de sus labios.
Tenía una extraña e hipnótica elasticidad blanca.

"¿Qué es eso entre tus ojos?" preguntó el rabino
Birnbaum.

"¿Qué hay entre mis ojos?" Pregunté a cambio.

"Esa marca".

"Oh, la cicatriz. A veces olvido que está ahí".

"Se parece a Israel".

"Lo sé, se parece a Israel. La tengo de un accidente".

"¿Un accidente?"

"Sí, a mi primo Yudel le cortaron los dedos en

una rebanadora de pan. Le debía dinero a la gente equivocada. Un día, cuando era pequeño, trató de levantarme y, como no tenía dedos, me caí y me dejó caer de cabeza. Así es como me hice una cicatriz que se parece a Israel".

"Estás siendo sacrílego".

"No, rabino. Te estoy diciendo la verdad."

En nuestra sinagoga, el rabino Birnbaum presidía los ritos de bar mitzvah, un teatro de disfraces en tres actos, los dos primeros en hebreo. Comenzaba con el niño leyendo pasajes seleccionados de los Profetas llamados *Haftorah*. Este nombre tuvo que ser explicado a todos los niños, ya que suena como media Torá, lo que sería una cantidad considerable para memorizar. Luego, el chico del bar mitzvah lee la porción de la Torá de esa semana y, finalmente, un discurso muy practicado en inglés escrito por nadie en particular y olvidado una vez que salió de la lengua.

En preparación para mi bar mitzvah, ensayé mi discurso en inglés con una variedad de acentos. Las mejores versiones eran yiddish, español y una inflexión de Brooklyn muy exagerada, básicamente Jimmy the Hair. El rabino no apreciaba estas variaciones, ni le divirtió mi subastador judío, donde fingí vender porciones de la Torá. Mi acento occidental, donde pedí un whisky en el Barrrrr Mitzvah, también hizo fruncir el ceño. Ya me habían suspendido de la escuela hebrea por revender boletos para los servicios de High Holiday. "Primera fila. Toca el *shofar*. Échales un vistazo". La creatividad y la tradición pubescentes son contradicciones inmutables.

"Para alguien como tú", dijo el rabino, "la mejor manera de pronunciar un discurso es con la mayor dignidad y sinceridad. Tanto como alguien como tú pueda reunir. No corras a través de él. Debes proceder así. Quiero que cuentes uno después de cada coma y dos por cada punto".

"Queridos padres, uno, estimados rabinos, uno, familiares y amigos reunidos, uno, y miembros de la congregación, dos. En este el día más importante de mi vida, uno, estoy ante ustedes, dos".

"No en voz alta. Silenciosamente. Hazlo otra vez."

Por supuesto, no dije nada. El rabino dejó pasar varios incómodos momentos de silencio antes de decir: "Solo los números. No digas los números en voz alta. No todo el discurso. Recítalo de nuevo. Guárdate los números".

"¿Te estás burlando de mí, joven? Si no aprendes a hacer esto correctamente y pronto, no serás un bar mitzvah. ¿Me entiendes? ¿Quieres avergonzar a tus padres? ¿La congregación? ¿A MÍ? Sabía que una parábola bien colocada sería en vano y solo unos años antes, me habría abofeteado. ¿Quieres que llame a tus padres o quieres que cancele tu bar mitzvah? No me tiente, señor".

Las opciones como amenaza son una venerable tradición de Brooklyn y, cuando se ofrecen en las calles, son a la vez más crudas y refinadas. "¿Quieres que tome tu lengua y te la saque del culo? ¿O quieres que te ponga los pies en la parte superior de la cabeza y camines boca abajo? Nunca imaginé que incluso una forma leve de amenaza penetraría en la sinagoga. Pero sabiendo la importancia de esto para mi familia, simplemente traté de aprender mis lecciones.

Tradicionalmente, ha habido dos tipos de rabinos. Están las almas paternalistas cuyas analogías y anécdotas tienen poco sentido pero requieren una risa suave o un gesto silencioso de reconocimiento por parte del oyente. Luego están aquellos como el rabino Birnbaum, que debe haber sido colgado por su tzitzit en el seminario.

Pero el presidente de la sinagoga decidió que se necesitaba un tercer tipo, un nuevo tipo: el rabino hip. Para su primera actuación, usó anteojos, más por estilo que por leer el Talmud, su *yarmulke* se ladeó en un ángulo alegre. El rabino Ringo incluso usó zapatos cubanos de tacón apilado en la *bima* un sábado por la mañana. La religión era secundaria a su actitud. Incluso cuando era niño, nunca entendí dedicar tu vida a la religión, pero aquí había un tipo cuya razón de ser parecía desafiar lo que creía y estudiaba. Su mera presencia era un obstáculo para creer. Era parecido a Wittgenstein repudiando sus propias teorías. Aunque encontré magnética esta incongruencia institucional, debido a mi comportamiento fui relegado al rabino Birnbaum.

En el lado secular de la preparación para el evento, mi madre me llevó a Orchard Street por un traje y luego a Klein's en Union Square por una camisa, corbata y ropa interior limpia. El sastre del vecindario hizo cambios menores en mis pantalones y luego me pidió que mordiera un hilo. Mi padre miró con orgullo todo el tiempo. Tummler trató de explicar los puntos más sutiles de pronunciar un discurso, citando su rutina de stand up como ejemplo. Muriel me dijo repetidamente que me asegurara de haberme cepillado los dientes. Dijo que la impresión que daría en mi bar mitzvah se mantendría hasta la muerte de cada invitado, aunque la mayoría de ellos apenas me conocían de todos modos.

Mi familia llegó temprano el sábado por la mañana de mi bar mitzvah. Rara vez iban a la sinagoga y se colocaban en la tercera fila. Necesitaban pistas de los asistentes habituales que se sentaron en las dos primeras filas sobre cuándo doblarse, pararse, repetir cosas y cantar. Estaba el habitual estirar el cuello para ver quién entraba y decidir si saludarlos, caminar para encontrarlos, dar una breve y obvia sonrisa falsa o fingir no reconocerlos en absoluto.

La tía Esther y el tío Morty se acomodaron irregularmente, temerosos de ser descubiertos como ateos. Skippy / Basil deslizó una Biblia o dos en su abrigo. La tía Tillie vino con su marido algo muerto, Willie. A Willie le dijeron dónde y cuándo estar, una vida que le sentaba bien. La tía Tillie no se dio cuenta de esto hasta después del matrimonio, pero también le sentaba bien. Su obsequiosidad le permitió tener una vida plena dentro y fuera de su apartamento. Ahora se sentaba y se movía nerviosamente, conociendo mis secretos y las sombras de los demás.

Patrice Anne estaba sentada, con las manos unidas con gracia, entre los fieles reunidos de otra religión. Su padre apenas había detenido su coche para dejarla. Después de ver nuestro vecindario, se asustó más por su automóvil que por el bienestar de su hija. Le dio setenta y seis monedas de diez centavos en caso de que el teléfono se tragara las primeras setenta y cinco, para que pudiera llamar si había una emergencia.

Como toda pompa y circunstancia, mi bar mitzvah fue precedido por un silencio antinatural. Me senté en una silla de gran tamaño, incómoda con mi traje nuevo y una kipá y un *talit*, regalos de la hermandad de la sinagoga comprados al por mayor para todos los niños del bar mitzvah. Los rabinos Ringo y Birnbaum salieron de su habitación secreta en el fondo y cruzaron dramáticamente la bima, con sus tallis fluyendo detrás de ellos como atrapados en una corriente de aire. Con gran sobriedad hicieron esto y aquello hasta que abrieron el arca. Todos se levantaron, y el rabino Birnbaum sacó uno de los rollos de la Torá, bellamente adornado con terciopelo, y un pectoral, una corona y un escudo ornamentados de plata y oro. El residuo de un vecindario que alguna vez fue rico.

Después del prolongado silencio del ritual y antes de que yo recitara mi porción de la Torá, el rabino Birnbaum comenzó una búsqueda desesperada y febril, no pudo encontrar el yad, el puntero de plata adornado que le permite seguir el texto como quien lee la Torá por primera vez. Yo, sin embargo, orgulloso de improvisar, usé mi dedo medio desfigurado como guía. El rabino Birnbaum pensó que esto era una blasfemia, el mayor insulto jamás pronunciado por un bar mitzvah y soltó un fuerte: "Tú, kofer. Infiel."

Debido a la inclinación del podio, nadie pudo ver mi dedo profano y la congregación solo escuchó lo que sonó como un momento de locura no provocada por parte del rabino Birnbaum. Seguí leyendo como si fuera el único niño piadoso de la habitación. Los ojos del rabino Ringo se movieron rápidamente mientras consideraba las consecuencias. Quizás, pensó, podría haber encontrado un alma gemela en mí. Podría haber iniciado un golpe de estado contra el rabino Birnbaum, del cual él sería el beneficiario natural.

Cuando terminé, el rabino Birnbaum me rodeó con el brazo y tiró de nosotros para mirar hacia el arca, silbando y escupiendo con adhesivo blanco para dentaduras postizas: "Eso fue herejía. ¿Cómo pudiste hacer algo así?"

"Nací con un dedo así", dije, que estaba a solo unas semanas de la verdad y era más fácil de explicar que las curiosas circunstancias de otro accidente.

"No te creo. Será mejor que me traigas tus registros médicos el lunes. Ahora compórtate".

Nos volvimos a mirar a la congregación. Regresé al podio donde leí mi Haftorah con una perfección inesperada. Esto creó un interludio de calma, que bordeaba la espiritualidad palpable y las miradas contorsionadas en los rostros de los rabinos, mientras se retorcían de sorpresa, aprecio y confusión.

El rabino Birnbaum luego dio un sermón obligatorio mezclado con tópicos, exhortaciones y amonestaciones, algunas de esas lanzas lanzadas directamente hacia mí. Y cuando terminó, llegó el momento de mi discurso. Probablemente este iba a ser mi último momento en esta sinagoga. Quizás cualquier sinagoga.

Con mi dignidad recién adquirida, comencé mi discurso en inglés. "Queridos padres (uno silencioso), rabinos estimados (uno silencioso), familiares y amigos reunidos (uno silencioso) y miembros de la congregación (uno silencioso, dos). Este mismo día está dedicado a la tradición. La tradición es de seis mil años que ha llevado a esta gloriosa mañana. (Abuelo.) El intercambio entre padre e hijo y todos sus antepasados. (Padre)."

Pero luego me llené de la ambivalencia de ser un

niño y un hombre. Durante los últimos cuatro años, asistí a la escuela hebrea después de la escuela pública, todos los días de la semana excepto los viernes, solo por este momento. No importaba con quién viviera, caminaba para aprender un idioma para el que no tenía aptitudes, y para conocer una religión y su pasado, donde se mezclaba lo misterioso, lo espiritual y lo histórico. ¿Qué podría ser una declaración más grande cuando te unes a la comunidad como adulto que decir lo que piensas, en lugar de lo que se prescribe y se practica?

"Pero qué es una tradición sino un error cometido dos veces. (Tía Tillie.) La tradición es ese asiento a mitad de precio detrás de un poste que solo te permite ver una parte del juego de pelota. (Tummler.) La tradición es también una forma de controlar al proletariado. (Unkle Traktor.) Entonces, ¿qué hemos aprendido sobre la tradición? Los muertos son molestos".

Yo dudé. No recuerdo si fueron las pisadas imaginarias del rabino Birnbaum pisando fuerte en mi dirección o los reunidos mirándome con gran indiferencia, pero sin una presentación o provocación adecuada, solté: "Perdí mi virginidad este verano. Con una shiksa, una hermosa shiksa". (Uno. Dos. Tres. Cuatro.)

Hubo grandes jadeos, confusión, gritos de burla y decepción en muchos rostros, pero también risas, indignación y algunos aplausos. Aunque un poco enrojecida, Patrice Anne sonrió tímidamente y miró la alfombra gastada.

"Entonces," continué, "en la tradición semanal de unidad y buena voluntad, deseémonos un buen Shabat. Por favor, diríjanse al que está a su lado y estrechen su mano y deséenle un 'Buen Shabat' ".

El rabino Birnbaum no tuvo más alternativa que estrechar mi mano extendida y desearme un buen Shabat delante de todos, sabiendo muy bien que me acababa de dar dolorosamente a mí y a mis declaraciones una aprobación tácita. El rabino Ringo apareció a mi lado. Me dijo que debería considerar convertirme en rabino o tal vez en vendedor de seguros.

En silencio, bajé las escaleras de la bima hasta los brazos de mi familia, donde mi madre me esperaba y me dijo: "Debería darte vergüenza. Estoy fuera de mí". Mi padre, resignado a ser quien era, simplemente me abrazó.

Los miembros de la familia se apiñaban a mi alrededor. La tía Tillie dijo que lo que hice fue tanto comprensible como incorrecto, sin indicar qué comentarios caían en qué lado de su ambigüedad moral.

Skippy / Basil no dijo nada, pero me tocó brevemente el hombro, en lo que solo puede describirse como su más grandioso gesto de afecto. Jane, a quien no había visto desde su regreso de la India, sonrió y me dijo que era maravilloso mientras juntaba las palmas de las manos frente a su pecho.

Tummler dijo: "Implacablemente divertido. Una actuación de bufón", como si mi bar mitzvah apareciera en *Variety*. Fue interrumpido por mi abuelo que me dijo: "Hoy eres un hombre".

Tummler le dio un codazo a mi abuelo ciego para que pudiera terminar su trabajo: "En mi época decíamos: 'Hoy eres una pluma estilográfica'. Nadie tenía dinero, así que todos comprábamos bolígrafos. No entiendo qué diablos hace un chico de trece años con todas esas plumas estilográficas".

Muriel se interpuso entre Tummler y yo, "Dios te va a matar. Entonces voy a esperar en el pasillo. A Dios no le gusta matar a la gente en lugares pequeños".

En secreto me complació que el rabino interrumpiera mi discurso, porque no tenía nada más que agregar. Nunca volvería a ver al rabino Birnbaum ni a Ringo. Ni a Patrice Anne. Mi único arrepentimiento del día. Pero cuando tienes trece, no puedes estar seguro de si perdiste tu virginidad o solo tus pantalones.

La fiesta que siguió fue en el salón de los Caballeros de Pythias, un grupo fraternal nacional que alguna vez fue secreto y que solo permitía la entrada a hombres sanos que creían en un Ser Supremo y que llamaban a sus logias "castillos". En nuestro vecindario, los Caballeros de Pythias eran una organización predominantemente judía, como lo demuestran los retratos de antiguos comandantes de logias clavados en los paneles de madera prensada. En muchas fotos tomadas en esa fiesta, esos rostros enmarcados aparecían como fantasmas con traje y corbata flotando sobre los hombros de los invitados.

Una banda de bar mitzvah demasiado vestida tocó algunos arreglos de big-band, números cursis y una versión sin colmillos de *Tutti Frutti* que había hecho sonar a Pat Boone como si fuera más negro y más alegre que Little Richard. El clarinetista salvó el día haciendo sonar una entusiasta interpretación klezmer de *Hava Nagila* que obligó a muchos a bailar salvajemente la hora. Otros se pararon cerca de los márgenes del círculo aplaudiendo y alentando. Muriel no le dijo a nadie en particular: "Me duelen los pies solo de ver bailar la fakakta".

Por supuesto, Fern estaba a cargo de la fiesta. Ella controlaba la banda y cantó cuatro o cinco temas, que puede haber sido su única intención desde el principio. Ella dominaba las grandes mesas plegables cubiertas con bandejas de aluminio torcidas de derma rellena, salchichas en mantas y cuchillos en miniatura, todo calentado por latas de Sterno que ardían 2,5 cm por encima de los manteles de papel. Los invitados cargaban sus platos, mirando de reojo para ver quién apilaba más.

Fern quería una fiesta de bar mitzvah más competitiva de la que pudiera presumir durante años. Ella distorsionaría, según fuera necesario, las medidas habituales de cuántas personas asistieron, la cantidad de obsequios, la comida que se sirve, el entretenimiento e incluso crearía un asistente imaginario de celebridades, para impresionar.

Alguien me dijo que tenía mal aliento. Otro me dijo que admiraba mi discurso. Otro dijo que yo era una desgracia. Las familias que me habían criado estaban distraídas por personas que no habían visto en un tiempo y no cuestionaron. Como es habitual en los bar mitzvahs y las bodas, había quienes aparentemente vivían para estos eventos, del tipo que pensaba que se les enviaba correo basura específicamente. Otros aprovechaban la oportunidad para contar la misma historia a cualquiera que estuviera dispuesto a escuchar.

Los niños evitaban escrupulosamente los pinchadores de mejillas y a cualquiera que jugara el juego "¿Te acuerdas de mí?". Algunos intentaban engatusar a los adultos para que les dieran tragos de alcohol mientras que otros corrían y gritaban entre los bailarines. Las madres les advirtieron: "No seas *vilda chaye*", como si tuviera algún efecto.

Cuando todos los invitados se fueron, mi familia dividió la comida restante. Tummler "Oye, Traktor, ¿dónde están las malditas papas fritas?" El único empleado pagado del albergue cerró las mesas y pasó bajo los pies de la gente. Algunos se lo pasaron bien.

Nos retiramos a la casa de mi abuela para contar los regalos y discutir qué hacer con el dinero. Mi abuela me llevó a un lado y me dijo: "Lo que dijiste hoy no era parte de mi plan".

"No quiero ser grosero, Bubbe", dije, "pero nunca supe cuál era tu plan".

"Bueno, lo que sea que pensaste que era, eso no era parte de él".

No le respondí. Pero a partir de ese día, elegí con qué familia quedarme.

19

GLOSARIO

Tenga en cuenta que el yiddish hablado es un conglomerado de idiomas con base germánica. También hay diferentes pronunciaciones y modismos según el origen geográfico de la palabra. El yiddish escrito usa caracteres hebreos. Por lo tanto, del yiddish al inglés hay una transliteración, por lo que otros pueden no estar de acuerdo con la siguiente ortografía. A menos que se especifique, las palabras definidas son yiddish.

bar/baht mitzvah. *Bar* significa hijo y *baht* significa hija y *mitzvá*, en este caso significa mandamiento o ley. Dependiendo del tipo de judaísmo, a los trece años para los niños y a los doce o trece para las niñas, se vuelven responsables de sus acciones y miembros de la comunidad adulta. Algunos no judíos tienen la idea errónea de que esto es cuando un niño judío es circuncidado. (Hebreo)

bima. En las sinagogas Asheknazi, es una plataforma elevada con un escritorio de lectura. (Hebreo)

bohker. Un niño, uno que suele asistir a una ieshivá.

boychik. Un término de afecto para un hombre joven.

bris. Ceremonia donde se circuncida a un bebé varón judío. (Hebreo)

bubbe. abuela

bubbe meises. Antiguos cuentos de esposas.

chazzer. Un cerdo.

dreck. Mierda.

dybbuk. Un espíritu maligno que posee el alma de un ser vivo.

fakakta. Algo que no funciona o es una verdadera mierda.

faygeleh. Un hombre gay (literalmente, un pajarito).

feh. Una expresión de una palabra que expresa disgusto.

fershtay. Lo entiendes.

fonfered. Habla murmurada o ininteligible.

Futz in dayn gorgel. Una maldicion. "Me tiro un pedo en tu garganta."

gay avek. Irse.

gay cocken offen yom. Vete a cagar en el océano.

gefilte fish. Tradicionalmente, la carpa, el lucio, el salmonete o el pescado blanco se muelen con huevos, cebolla, harina de matzá y especias para producir una pasta o masa, que luego se hierve en caldo de pescado. Es tan bueno o malo como suena.

genug. Ya basta.

gonif. Un ladrón, cincelador.

Gornisht. Nada.

Gornisht helfin. Más allá de la nada.

gotkas. Ropa interior masculina, pero generalmente se usa para toda la ropa interior.

Guttenyu. Oh Dios mío.

goyisha. Palabra ligeramente despectiva para alguien (o algo) que no es judío.

Haftorah. Una selección de una parte de la Torá llamada Profetas que se lee en la sinagoga y generalmente ilumina la parte de la Torá que la precede. (Hebreo)

halz. Garganta.

kapo. Un prisionero de un campo de concentración que actuó como fideicomisario, pero la palabra es sinónimo de traidor para los judíos. (Alemán)

kazatsky. Un baile animado.

kishka. Intestinos de res, generalmente rellenos con harina de matzá, especias y grasa. También conocido como derma disecada.

kofer. Infiel. (Hebreo)

kuchaleins. Bungalows judíos en Catskills donde la gente cocinaba por sí misma.

latke. Un panqueque de papa frito hecho con harina de matzá.

macher. Un gran disparo.

meshugga. Loco.

mezuzah. Oración judía, generalmente dentro de una caja decorativa que se coloca fuera de la puerta principal y en la mayoría de las habitaciones de la casa. (Hebreo)

mohel. Un funcionario judío que realiza el bris. (Hebreo)

mon. Semillas de amapola.

muzhik. Una palabra despectiva para campesino. (Ruso).

Nu. Una pregunta. "¿Bien? Así que dímelo ya".

Omein. Una variación de amén. (Hebreo).

payess. Cabello que crece en rizos, donde otros hombres tendrían patillas. (Hebreo).

pishechtz. Orina.

pletzel. Panecillo del tamaño de un plato.

ruhkes. Fantasmas.

schlub. Una persona sin talento o poco atractiva (o ambas).

Schmatta. Trapo.

Schmekel. Pene.

schmuck. Un idiota, pero literalmente un

pene. (Hay muchas palabras para pene en yiddish).

schnorrer. Una esponja humana.

schvantz. Pene.

sha. Tranquilizarse.

shanda. Una vergüenza, un escándalo. Hacer algo vergonzoso a los judíos donde los no judíos pueden observarlo.

shikker. Un borracho/a.

shiksa. Una mujer no judía.

shiva. El período ritual de siete días de duelo con muchas costumbres. Muchos judíos modernos no se adhieren a todas las costumbres.

shofar. Tradicionalmente, un cuerno de carnero que se toca durante los servicios de Rosh Hashaná y Yom Kipur.

shtarker. Chico rudo.

shtetl. Real and mythical little towns where Jews lived in Eastern Europe, often in poverty.

shtup. Follar.

shul. Templo judío; la palabra significa literalmente escuela.

tallit. Mantón de oración. (Hebreo).

tchotchke. Una chuchería, por lo general algo sin valor monetario pero que puede tener un valor sentimental.

tzitzit. Flecos que cuelgan del chal de oración (Hebreo).

vilda chaye. Un animal salvaje, generalmente dicho a alguien que está fuera de control.

yad. Puntero ornamental utilizado para seguir la lectura de la Torá. (Hebreo).

yahrzeit. El aniversario de una muerte, muy a menudo conmemorado encendiendo una vela de veinticuatro horas. El vaso de la vela yahrzeit se usa a menudo para el uso diario para beber. (Hebreo).

yarmulke. Kipá.

yenta. Un chisme.

zayda. Abuelo.

zetz. Un golpe, generalmente en la cabeza.

Querido lector,

Esperamos que hayas disfrutado leyendo *Club De Primos*. Tómese un momento para dejar una reseña, incluso si es breve. Tu opinión es importante para nosotros.

Atentamente,

Warren Alexander y el equipo de Next Charter

Club De Primos
ISBN: 978-4-86747-627-7
Edición de Letra Grande en Tapa dura

Publicado por
Next Chapter
1-60-20 Minami-Otsuka
170-0005 Toshima-Ku, Tokyo
+818035793528

22 Mayo 2021